A Descoberta do Inconsciente

Antonio Quinet

A Descoberta do Inconsciente

Do desejo ao sintoma

9ª reimpressão

ZAHAR

Copyright © 2000 by Antonio Quinet

Capa
Carol Sá
Sérgio Campante

CIP-Brasil. Catalogação-na-fonte
Sindicato Nacional dos Editores de Livros, RJ

Quinet, Antonio, 1951-
Q64d A descoberta do inconsciente: do desejo ao sintoma / Antonio Quinet. – 1ª ed. – Rio de Janeiro: Zahar, 2000.

ISBN: 978-85-7110-571-3

1. Inconsciente (Psicologia) 2. Psicanálise. I. Título.

CDD: 150.195
10-5263 CDU: 159.964.2

[2020]
Todos os direitos desta edição reservados à
EDITORA SCHWARCZ S.A.
Praça Floriano, 19, sala 3001 – Cinelândia
20031-050 – Rio de Janeiro – RJ
Telefone: (21) 3993-7510
www.companhiadasletras.com.br
www.blogdacompanhia.com.br
facebook.com/editorazahar
instagram.com/editorazahar
twitter.com/editorazahar

Para Annabel, que,
criançando com as palavras,
me contou que tinha
uma áfrica na boca
e dormia ao lado de uma
mesinha de travisseira

As coisas que não têm dimensões são muito importantes.
Assim o pássaro tu-you-you é mais importante por seus
Pronomes do que por seu tamanho de crescer.

É no ínfimo que eu vejo a exuberância.

Manoel de Barros, *Livro sobre o nada*

Sumário

Apresentação

A idéia desta publicação veio do Centro-Oeste do Brasil, do portal do Pantanal, mais precisamente da iniciativa pioneira de Andréa Brunetto de levar a psicanálise lacaniana para Campo Grande, onde a seu convite fiz uma série de conferências. A reunião dessas conferências, produção independente de Andréa (ela estabeleceu o texto inicial, editou, divulgou e colocou em circulação), foi o passo inicial.

Ao retomar as conferências para transformá-las em livro, este cresceu, cresceu e cresceu ao incorporar as elaborações dos anos 80 e do início dos anos 90 até algumas mais recentes sobre o sintoma. Ele reflete, portanto, um trabalho que se iniciou quando eu morava em Paris onde, nos anos 80, trabalhou-se o binômio demanda e desejo no âmbito da Section Clinique do Departamento de Psicanálise da Universidade de Paris VIII dentro de uma perspectiva, que havia então, de uma elaboração coletiva de trabalho entre os analistas. E o livro se conclui com as elaborações mais atuais sobre o sintoma após a análise.

Publicar este trabalho, um século depois da descoberta do inconsciente por Freud, pode parecer ultrapassado, se não acompanhássemos atônitos e horrorizados a cada vez mais intensa rejeição do sujeito promovida pelo discurso da ciência e pela globalização do capitalismo. O Inconsciente é uma hipótese a ser constantemente comprovada, pois sua verdade, a "modernidade" tende a recalcá-la e sobre o desejo, que aí se manifesta, ela não quer nem saber. Os imperativos da moda, do consumo, do utilitarismo e do capital não deixam lugar para o ínfimo, o desútil, o íntimo, o desver, o falho, a falta, a fala. Tudo isso é, no entanto, o verdadeiro capital para o sujeito: a expressão de sua singularidade e de seus nadas. Eis por que apostamos nas formações do inconsciente que aqui descrevemos, tentando apreender as leis que as regem seguindo as curvas do regato do desejo à luz do ensino de Jacques Lacan.

Convergindo o desbravar do inconsciente com a prática da palavra poética, que para ser séria tem que ser brinquedo, recorremos ao "idioleto manuelês archaico" em nossas epígrafes por julgar que, nessa língua, o

Pantanal é um dos nomes do Inconsciente. Com sua "terapia literária", que consiste em "desarrumar a linguagem a ponto que ela expresse nossos mais profundos desejos", Manoel de Barros nos faz transver o mundo, desformando-o, tirando da natureza as naturalidades e das palavras seu acostumado para chegar a seu criançamento e assim, como no sonho, no chiste e no sintoma, fazê-las brinquedos.

Preâmbulo

Desejo logo ex-sisto

Aonde eu não estou as palavras me acham.
M.B.

"O que sou eu?" — é a pergunta que leva Descartes a fundamentar pela primeira vez na história das idéias o conceito de sujeito. O projeto do *Discurso do método* se encontra explícito em seu próprio título: trata-se de "procurar a verdade nas ciências". O que é verdadeiro para Descartes é o que pode ser concebido "clara e distintamente" unicamente pela razão. Eis o passo precursor para o desenvolvimento da ciência moderna. O sujeito que será definido pelo método cartesiano não é outro senão o sujeito da ciência. É esse mesmo sujeito da ciência sobre o qual opera a psicanálise — eis a tese de Lacan. Sem o advento do sujeito com Descartes, a psicanálise não poderia ter vindo à luz.

Para responder à pergunta sobre "o que sou eu", Descartes, em suas *Meditações filosóficas*, descarta de entrada os sentidos, pois estes são sempre enganadores, assim como o corpo próprio. O que vejo, o que ouço, apalpo ou sinto não me dizem o que sou; meu corpo tampouco me define. Descartes põe-se a duvidar da existência de tudo e concebe um Deus como um Gênio maligno cuja intencionalidade não é outra senão a de enganar o sujeito. Recusa assim qualquer autoridade externa, mesmo divina, que garanta a existência das coisas. Esse Deus enganador faz parte da dúvida hiperbólica de Descartes, a qual após colocar toda a existência em suspenso e anular todo o saber atinge seu ápice em um único ponto de certeza: o pensamento. Nesse duvidar de tudo uma coisa é pelo menos certa: que estou pensando. "... encontro aqui, diz Descartes, que o pensamento é um atributo que me pertence; só ele não pode ser destacado de mim. *Sou, existo*: isto é certo, mas por quanto tempo? O tempo que eu pensar, pois, talvez, se eu deixasse de pensar eu poderia deixar de existir. Não admito agora nada que não seja necessariamente verdadeiro: não sou senão uma coisa que pensa".[1]

Res cogitans — é a definição desse sujeito que é uma coisa cuja substância é pensamento. O sujeito do pensamento considera verdadeiro tudo o que a razão concebe de forma clara e distinta, como, por exemplo, a idéia de Deus que Descartes restitui a partir da "terceira meditação" não mais como um gênio maligno, mas como "autor de minha existência".[2] Com esse procedimento, Descartes postula um Outro divino como garantia do pensar e do existir: um Outro, em suma, garante do sujeito.

Freud com/contra Descartes

Para a psicanálise, o sujeito é também sujeito do pensamento — pensamento inconsciente. Pois o que Freud descobriu é que o inconsciente é feito de pensamento. Trata-se aqui do sujeito não da desrazão e sim da razão inconsciente, cuja lógica é também apreendida através de um método — o método psicanalítico. Essa herança da filosofia cartesiana conserva o ideal de cientificismo da psicanálise cujos efeitos de sua prática devem ser verificados, cujo modo de operação pode ser explicitado e cujos conceitos podem ser transmitidos, justificando assim o ensino da psicanálise, inclusive na Universidade. Foi nessa orientação que Jacques Lacan propôs matemas para a psicanálise.

O procedimento freudiano é análogo ao adotado por Descartes, na medida em que, na restituição de um sonho, muitas vezes o sujeito é tomado pela dúvida, pautando o relato do sonho com esse mesmo aspecto de cogitação dubitativa. É essa dúvida que traz, propriamente falando, a certeza de que aí se trata do pensamento inconsciente. Como diz Lacan no Seminário 11: Lá "onde ele duvida ... é certo que um pensamento lá se encontra, o que quer dizer que ele se revela como ausente. É a este lugar que ele (Freud) chama, ... o eu *penso* pelo qual vai se revelar o sujeito."[3]

Façamos um paralelo com a dúvida do sonhador freudiano descrita em *A interpretação dos sonhos*. A dúvida, em relação a um elemento impreciso do sonho, é um índice de que aí se trata de uma representação vítima do recalque. A dúvida assinala assim a presença de uma formação do inconsciente. Para Freud é precisamente a perturbação que a dúvida provoca na análise que a desmascara como "um produto e um instrumento da resistência psíquica". É nesse lugar da resistência da qual a dúvida é o índice que se manifesta o sujeito: ou seja, no campo do inconsciente como pensamento ausente.

É esse fundamento que motiva a primeira definição estruturalista e dialética do inconsciente enunciado por Lacan: "O inconsciente é o capítulo de minha história que é marcado por um branco ou ocupado por uma mentira: é o capítulo censurado."[4]

Quando, no meio do relato de um sonho, o sujeito comenta "aqui o sonho está apagado" ou, como disse um paciente de Freud, "aqui existem algumas lacunas no sonho; está faltando algo", é justamente aí que Freud convoca o sujeito, e que, no caso, respondeu com a restituição de uma lembrança infantil relativa a um gozo escópico: a visão do sexo feminino. Lá onde falta alguma coisa, se encontra o sujeito como correlato do sexo no inconsciente.[5]

O sujeito para a psicanálise é essa lembrança apagada, esse significante que falta, esse vazio de representação em que se manifesta o desejo.

Desidero é o pensar freudiano, pois o inconsciente nos ensina a seguinte proposição: *penso logo desejo*, *cogito ergo desidero*, pois a cogitação inconsciente presentifica o desejo sexual, indestrutível, inominável, sempre desejo de outra coisa. Mas o pensamento não o define, pois não há representação própria para o desejo, pois, como o sujeito, ele não tem substância; é vazio, aspiração, falta, se não deixaria de ser desejo.

O cogito freudiano é antes de tudo "*desidero ergo sum*", uma vez que lá onde se encontra o desejo está o sujeito como efeito da associação das representações. Desejo logo existo. Desejo é o nome do sujeito de nossa era: a era freudiana. Portanto, o sujeito que a psicanálise descobre nos escombros das patologias, nos caleidoscópios oníricos, nas fantasmagorias da ópera privada, nos corredores das vesânias — esse sujeito é fundamentalmente desejo.

Se o sujeito da psicanálise é o sujeito relativo ao pensamento, esse pensamento não o identifica: o sujeito é não-identificável e por isso pode ter várias identificações, as quais são, uma a uma, desfolhadas em uma análise. Ele se encontra, como diz Lacan, nos intervalos significantes, pois ele assombra a cadeia significante como se diz de uma casa assombrada.

Assim, se o procedimento cartesiano e freudiano convergem no sentido de definir o sujeito pela razão, eles divergem em relação à substância: para Descartes o sujeito é uma coisa pensante, enquanto para a psicanálise o sujeito não tem substância, manifestando-se na hesitação, na dúvida entre isto e aquilo.

Para Descartes o sujeito está no pensamento "Lá onde penso eu sou"; para Lacan, relendo Freud, o sujeito está no pensamento como ausente, como pensamento barrado. Lá onde penso eu não estou, eu não sou.

O sujeito como efeito da articulação significante é o sujeito do pensamento inconsciente, que Lacan identifica com o sujeito como o descreve Descartes. É o ponto em que Freud e Descartes convergem. Em Descartes, a certeza do sujeito é apreendida através da dúvida e, para Freud, como vimos, a dúvida que aponta o lugar de um branco, que surge no pensamento, nos fornece a certeza de que aí se encontra o inconsciente como pensamento ausente (da consciência). Descartes parte do pensamento e chega na existência; Freud parte do pensamento inconsciente e chega no desejo. Com seu *cogito ergo sum*, apesar de sua relação causal, Descartes separa o ser e o pensamento e prepara a separação que a psicanálise trará à luz, ou seja, que penso onde não estou, onde não sou, o que qualifica o inconsciente como pensamento sem ser. Pois o ser se furta ao significante. Por outro lado, sou onde não penso, lá onde se encontra meu ser de gozo que escapa a todo pensamento: eis aí meu semblante de ser, que tento cingir no objeto *a*. No processo da análise, o sujeito se experimenta como falta-a-ser, na medida em que não encontra representação simbólica para seu ser. Volta-se então para o gozo a fim de tentar apreender esse ser. Mas tampouco o encontra, pois o gozo é pendido e ele só encontra o simulacro de seu ser (e mesmo assim de maneira episódica) sob a forma do objeto *a* de sua fantasia.

As concepções do sujeito em Descartes e na psicanálise divergem em outros pontos. Em Descartes, há uma substantificação do sujeito na medida em que ele é uma coisa, uma coisa que pensa, ao passo que o sujeito da psicanálise é sem substância. Sua falta de substância lhe permite ser um sujeito suposto, inclusive suposto saber, que é a mola da transferência. O sujeito em Descartes é um sujeito unificado pelo pensamento, e essa unidade subjetivada do *penso* é transferida ao Outro na figura de Deus como garante tanto dessa unidade quanto dessa identificação do sujeito ao pensamento. O Deus de Descartes é o sustentáculo da equação penso = existo (pensamento=ser): o *ergo* só se sustenta a partir de Deus, *ergo* é de fato o nome do Deus cartesiano.

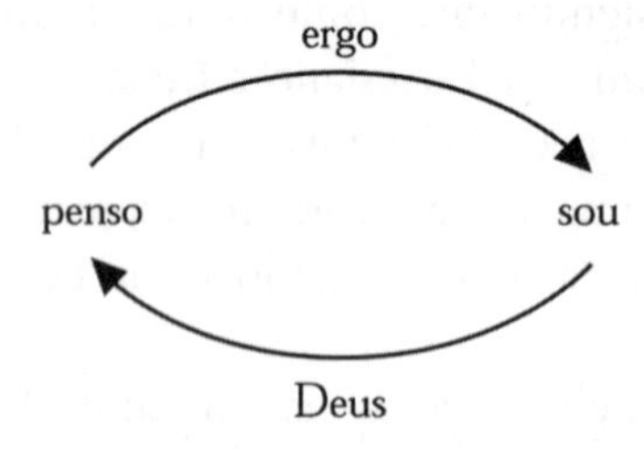

A idéia de sujeito em Descartes só se sustenta, portanto, na idéia teológica de um Deus uno garante do princípio de identidade desse sujeito. Aqui não há partição, como no espaço cartesiano (*partes extra partes*), pois o sujeito não se parte, ele é uno como Deus. A *res cogitans* não se divide, ela é una em oposição à *res extensa*, suscetível de se dividir em várias partes; a mente é una e o corpo é divisível.

Encontramos em Descartes portanto a presença de um Outro divino que garante o sujeito como pensamento, e, ademais, o garante de sua unidade.

Para Descartes o pensamento define portanto o ser substantificando o sujeito; para a psicanálise o sujeito não tem substância e seu ser está fora do pensamento — lá onde se encontra a pulsão sexual. E mesmo lá, ele é semblante de ser, como nos indica Lacan no Seminário 20. E o Outro, longe de ser divinizado, é inconsistente e, portanto, nada garante.

Para a filosofia cartesiana o sujeito é Uno, inteiro, identificável, enquanto para a psicanálise não é identificável, mas sujeito a identificação; e longe de ser unificado, ele é dividido — ele se divide em relação ao sexo e à castração, que ele nega mas não deixa de reconhecer. A castração, que denota a divisão subjetiva, é a verdade do sujeito banida pelo discurso da ciência, assim como a castração do Outro é negada no discurso da religião.

Sujeito do pensamento para Descartes, o sujeito para a psicanálise é um vazio — oco que estrutura o homem não tanto como vir-a-ser mas como falta-a-ser, falta constitutiva do desejo de ser e de ter aquilo que jamais terá e jamais será. Penso logo não sou.

O cogito lacaniano opõe o "penso onde não sou" do sujeito do inconsciente ao "sou onde não penso" relativo ao objeto *a*, fora do significante, lá onde o sujeito busca seu ser para-além (ou para-aquém) da linguagem. Mas mesmo aí ele não encontra seu ser: o objeto *a*, como causa do desejo, não é mais do que um semblante de ser. O objeto é semblante do ser e o sujeito é falta-a-ser, *want to be.*

Sujeito desejo

Como apreender esse sujeito que não tem substância? O sujeito não é o *eu*, aquilo que apresento ao outro, meu semelhante, igual e rival, como sendo o que quero que o outro veja. Não é a imagem corporal, nem tampouco o somatório das insígnias com as quais me paramento para as cerimônias de convívio com o grande Outro da coletividade. O que o sujeito apresenta é seu eu-ideal, auto-retrato pintado segundo as linhas mestras dos ideais daqueles que construíram os Outros primordiais em sua existência. Imagem pintada com as tintas do desejo dos ancestrais, que vão compor os matizes de seu eu pela via da linguagem constituindo assim o eu como um retrato falado.

O sujeito não é o homem e tampouco é a mente suscetível de estar doente ou saudável. Ele não é o objeto da saúde mental nem da doença mental. O sujeito é patológico por definição, sujeito ao *pathos*, afetado pela estrutura que obedece a uma lógica: os significantes que o determinam e o gozo do sexo que o divide, fazendo-o advir como desejo. Eis o que nos ensina a psicopatologia da vida cotidiana. O sujeito é desejo. A existência do sujeito é correlativa à insistência da cadeia significante do inconsciente, porém como exterior a ela: é uma ex-sistência. Desejo logo ex-sisto.

Em 1900, na *Interpretação dos sonhos*, Freud desvela as leis do inconsciente, fazendo emergir o sujeito do desejo como sujeito determinado pelas leis da linguagem, ou seja, por leis em que as palavras são tratadas como puros sinais sonoros, significantes, sem significado, por onde desliza o desejo. O significado delas é, na verdade, o desejo, tão fugaz quanto o sujeito que aí se manifesta. O sonho é como o fogo de artifício, preparado durante muito tempo e que se acende em um instante. O sujeito do desejo é esse fogo no artifício da linguagem.

Ilustremos a manifestação do sujeito como desejo nas veredas da linguagem com uma das *Primeiras estórias* de Guimarães Rosa. Conta-se que um bravo sertanejo da Serra das Gerais, "jagunço até na escuma do bofe", foi chamado de *famigerado* por um moço do governo. E não tinha a menor idéia de que tratamento era aquele. É *"desaforado? É caçoável? É de arrenegar? Farsância? Nome de ofensa?"* — indagava. Ao ser escutado, esse significante *famigerado* colocou o sujeito "nos vermelhões da raiva, sua voz fora de foco". E, por não ter à mão "o livro que aprende as palavras", decide percorrer seis léguas a cavalo até o arraial do sujeito suposto saber o significado de *famigerado*. Ao chegar, "cabismeditado", disse de chofre:

— "Vosmecê agora me faça a boa obra de querer me ensinar o que é mesmo que é: *fasmisgerado... faz-me-gerado... falmisgeraldo... familhas-gerado...?*

Por não conhecer o significado da palavra *famigerado*, o sujeito desfia a cadeia associativa de seu desejo que emerge como interrogação sobre a geração e a família. As questões, tais como qual o seu lugar na família, nas gerações e como ele foi gerado, fazem surgir aí o desejo como enigmático, seu desejo relativo ao desejo do Outro que o gerou. A palavra *familhas-gerado* é a interpretação do sujeito do significante *famigerado* e que faz surgir o desejo e a lei (a lei da filiação que é a lei paterna) no registro da injúria. Essa cadeia associativa aponta para o *pathos* do sujeito aludindo ao desejo enquanto enigmático. O desejo é o enigma que impele o sujeito a saber — para desvendar o enigma do desejo que o anima em sua existência, a cifra de seu destino. Mas, na estória rosiana, o personagem, que era para o nosso jagunço, o sujeito suposto saber o significado de *famigerado*, responde à demanda dando-lhe a significação dicionaresca, apagando assim a questão do desejo e negando a implicação do sujeito. E o sertanejo, em vez de escutar-se nas associações a que o significante enigmático o remetera em relação a sua história ou suas fantasias, preferiu favorecer o recalque desprezando-as: "A gente tem cada cisma de dúvida boba, dessas desconfianças... só pra azedar a mandioca..." Por sua vez, o narrador da estória que lhe deu a significação que estancou o desejo de saber assegurou sua posição idealizada de autoridade sapiente. "Não há como as grandezas manchas de uma pessoa instruída!" — conclui o famigerado sertanejo.

Moral da história: ao lidar com o indivíduo cabe ao analista solicitar o sujeito — sujeito do desejo, sujeito do inconsciente — e não responder ao *eu* que não quer saber nada disso.

O sintoma nos indica que o passado é atual e o desejo eterno dói. O sintoma neurótico, assim como o sonho, é uma formação do inconsciente e, enquanto tal, é a expressão metafórica do desejo para o sujeito: Ele revela a articulação do desejo com a lei, tal como Freud apreendeu através do mito de Édipo. Eis o que vemos num sintoma do Homem dos Ratos, em que uma idéia o obcecava: *se eu vir uma mulher nua meu pai deve morrer*, onde aparece a articulação entre o pai como representante da lei e o desejo proibido. O sintoma é portanto uma metáfora da estrutura edipiana onde se presentifica a articulação da lei com o desejo — desejo que aí se manifesta em suas impossibilidades.

Tomemos o exemplo de uma fobia em que o ataque de angústia é desencadeado em situações meteorológicas ou físicas sob as quais a paciente não pode sair do recinto em que se encontra. A cada vez que ela se sente *presa*, a angústia é desencadeada. *Presa* é o significante fóbico ao qual se agarra o sujeito para traçar a geografia de compromisso de sua existência de confinamento. O significante fóbico é aquele que vem suprir a falência do pai simbólico a barrar o gozo da mãe. Pois, no caso, o significante que representa o pai, longe de barrar a fúria materna, é o que a justifica, pois é o que lhe faz semelhante fisicamente ao pai aos olhos da mãe. Daí o sujeito recorrer sintomaticamente a um significante de evitação como meio físico de escapar da mãe-monstro. A equivocidade do significante *presa* aponta para um possível lugar em relação ao Outro materno: ela é a presa da mãe. Mas é também um significante que caracteriza seu desejo como desejo advertido para além do qual sopra a ventania da angústia. Na entrevista psiquiátrica, a própria paciente associa o medo atual de ficar presa com o medo do monstro que a prendia do sonho de infância, apontando a presença dos dois tempos do sintoma neurótico exigidos por Freud em sua constituição e a origem infantil do desejo.

Já no caso de um outro sujeito, que desenvolveremos no capítulo II, desta vez um menino de oito anos, seu ato sintomático consistia em arrebentar-se periodicamente em acidentes cuja repetição revelava a insistência da determinação inconsciente em sua vertente mortífera. Sua hemofilia já colocou em risco sua vida em diversos acidentes que tinham um endereçamento: o pai. E através deles, como num apelo, parecia dizer: "Pai, não vês que estou morrendo?". Para os pais, formados no saber médico — eles fizeram um curso dirigido a pais de hemofílicos —, o comportamento de seu filho constituía um enigma. E os acidentes adquiriram o valor de sintoma, como o retorno da verdade numa falha do saber médico. O saber do Outro parental fundamentado na ciência médica, e transmitido ao filho, por excluir o sujeito do inconsciente, não podia dar conta do sintoma. A análise fez logo surgir a dimensão do sujeito do desejo e sua verdadeira preocupação: ele se via caído em plena guerra dos sexos, onde no campo de batalha de Eros brotam as flores da morte. Ao ser representado pelo significante hemofílico para o saber médico, sustentado pelos pais, o sujeito é um condenado à morte. A análise vem abalar a identificação do sujeito com o significante hemofílico ao trazer de volta à pauta a questão fálica que faz o sujeito do desejo um condenado a castração e à diferença dos sexos.

A atividade do desejo, que é sempre uma constante, como Freud assinalou, fez uma analisante sonhar que ao chegar no analista não só era uma mulher que a atendia, e não eu, mas também que sua linha não era lacaniana mas *godivana*. Este neologismo é assim explicado por esta histérica espirituosa: "É derivado de Lady Godiva, cuja lenda minha professora de inglês adorava contar." Lembra-se então de uma outra parte do sonho em que havia uma mulher muito branca e muito linda montada não num cavalo como a famosa lady, mas num ônibus, e para a qual a analisante ficava olhando admirativa. "Tem aí a coisa do olhar" — diz ela, apontando o lugar de objeto (objeto da pulsão escópica) que para ela ocupa o analista na transferência. Fala então que costuma olhar muito para as outras mulheres em geral e que tem mania de ficar observando detidamente as mãos delas para ver se aí encontra sinais de envelhecimento e as compara com as suas. "Minha vontade, diz ela, é que todas as mulheres fossem mais velhas do que eu!" — o que a faz estar sempre insatisfeita com sua aparência. A insatisfação é, de fato, o nome de seu desejo.

Como foi ilustrado nesses exemplos, o sintoma, índice da articulação com a lei, é uma manifestação subjetiva do desejo na fobia, na neurose obsessiva e na histeria, respectivamente, como advertido, impossível ou insatisfeito.

A estrutura de linguagem do inconsciente é o que faz a psicanálise como práxis operar por meio da fala e sua ética ser definida por Lacan em *Televisão* como ética do bem dizer. Trata-se de uma ética relativa à implicação do sujeito, pelo dizer, no gozo que seu sintoma denuncia — ética de bem dizer o sintoma. O psicanalista tem uma atitude diferenciada diante do sintoma apresentado pelo paciente, precavendo-se contra o *furor sanandi* de exigir a qualquer custo a suspensão do sintoma. Pois lá onde há sintoma, está o sujeito. Não atacar o sintoma, mas abordá-lo como uma manifestação subjetiva, significa acolhê-lo para que possa ser desdobrado e decifrado, fazendo aí emergir um sujeito. Tratar do sintoma não significa, portanto, barrar ao sujeito o acesso ao real que o sintoma denota e dissimula. Trata-se, pelo contrário, de fazer com que o sintoma se transforme (no sentido temporal) para o próprio sujeito, no intuito de deixar de ser sintoma do momento de concluir — concluir em sua incapacidade de lidar de outra forma com o gozo —, para transformar-se em um enigma do tempo para compreender. Em outros termos, trata-se de transformar o sintoma-resposta em sintoma-pergunta.

O desejo é sempre enigmático e por isso mesmo ele apela ao saber, constituindo assim o sujeito articulado a um desejo de saber. É, com efeito, aponta Freud, a partir do enigma colocado pelo sexo que a inteligência é despertada na criança. Ele o denomina "Enigma da esfinge", que traduz pela pergunta "de onde vêm os bebês?"; trata-se portanto de uma pergunta sobre o desejo parental que o gerou como bebê. Em suma, o Enigma da esfinge, que se coloca para todo mundo, é uma questão sobre o desejo enigmático do Outro. E todo homem é impulsionado à sua decifração, uma vez que a pulsão participa do saber, manifestando-se inicialmente na curiosidade sexual infantil. Mas há obstáculos ao saber. No nível imaginário, esse obstáculo se chama o *eu* — que representa o nível da consciência que funciona como uma barreira ao sujeito do inconsciente e ao saber que lhe é próprio. No nível simbólico os obstáculos ao saber se modulam segundo as estruturas clínicas em: recalque (*Verdrägung*), desmentido (*Verleugnung*) e foraclusão (*Verwerfung*). Estas são as três formas de negação do saber sobre a verdade do sexo dada pelo complexo de Édipo, que se encontram, respectivamente, na neurose, na perversão e na psicose. Essa negação se expressa no neurótico por um "não quero saber nada disso", no perverso por um "eu sei... mas mesmo assim", e no psicótico por "eu não sei nada disso".

O saber que é negado pelo sujeito faz retorno e se presentifica nesse fenômeno que Freud designou por transferência e cujo pivô é justamente o que Lacan chamou de *o sujeito suposto saber*, que é encarnado por aquele a quem se dirige nosso bravo sertanejo para saber o significado de "famigerado". A transferência permite a passagem do horror ao saber (efeito de sua negação) ao amor dirigido ao saber que é o suporte do tratamento psicanalítico. O operador dessa transformação é o desejo do analista, que se presta a fisgar o sujeito cavalgado pelos significantes de sua alienação ao Outro.

O desejo do analista é o desejo de se lançar no vazio sustentado no trapézio do saber que ele sabe ser instável, incompleto e sempre a ser reconstruído — para no circo das paixões da alma proceder ao ato analítico sem a rede de segurança do grande Outro. Eis a condição para deixar bater as asas do desejo do sujeito, que é sempre um equilibrista na corda da linguagem.

O clínico, seja analista ou não, não é um anódino observador do paciente, pois por meio da transferência pode ser incluído na trama com a qual o sujeito envolve o real de seu sofrimento, seja no sintoma, seja no delírio. O que o sujeito faz de seu interlocutor, em que lugar o situa, de onde recebe seu dizer são critérios a serem levados em conta tanto no diagnóstico, no qual o próprio clínico está incluído, quanto na orientação terapêutica. O amor de transferência é a única vereda que dá uma chance ao sujeito de advir como desejo de saber.

Poder sustentar a existência do saber inconsciente através da convocação da subjetividade como desejo — eis um dever ético que a psicanálise propõe ao mundo.

As pesquisas organogenéticas, que fazem do homem um ser neuronal, fazendo crer na correlação distúrbios do corpo-transtornos do espírito, se sustentam nas ciências biológicas. Ora, o discurso científico prescreve de sua órbita tudo que seja relativo ao desejo e ao sujeito do inconsciente, para referir números, relacionar comportamentos e medir sensações. Mas ao rejeitar o inconsciente, isto não quer dizer que ele cesse de se manifestar. Tal é o caso do químico que, em análise com Freud, sonha estar preparando uma substância, o brometo de fenil magnésio. Mas, no sonho, ele mesmo é o magnésio. Percebendo que seus pés se decompõem e seus joelhos amolecem, ele retira suas pernas do alambique. Logo em seguida acorda e, em estado de exaltação, brada: *Fenil! Fenil!* Suas associações levam-no, pela rima, à palavra em hebraico *Schlemil* que significa incapaz e infeliz, fazendo assim surgir a dimensão da falta, explicitada pela associação do cientista sonhador: ele se lembra de um capítulo de um livro que tem por título: *Os excluídos do amor*. Quando se trata de "química silábica", como diz Freud, a história é Outra, é a história da Outra Cena.

Capítulo I

Retornando a Freud com Lacan

No Pantanal ninguém pode passar régua. Sobremuito quando chove. A régua é existidura de limite. E o Pantanal não tem limites. ...

O mundo foi renovado, durante a noite, com as chuvas. Sai garoto pelo piquete com olho de descobrir. Choveu tanto que há ruas de água. Sem placas sem nome sem esquinas.

"Mundo renovado", M.B.

O retorno a Freud promovido por Lacan é o retorno ao sentido de Freud, que diz respeito à verdade. E existe alguém que não esteja concernido pela verdade? Eis por que a psicanálise pode ser transmitida a qualquer um, analista ou não analista, pois o sentido do retorno a Freud é fazer aparecer a verdade depreendida de sua obra. A descoberta freudiana do inconsciente é a de que ele tem leis e comporta desejo, sobre o qual nem sempre o sujeito quer saber.

Freud, ao vencer as barreiras desse não-querer-saber, promoveu um descentramento tal da visão do homem que podemos qualificar este século XX, que agora apaga suas luzes, como o século de Freud. Apesar da rejeição do sujeito promovida pelos avanços da ciência e do discurso do capitalismo, o Nome-do-Pai, que representa a instância simbólica da lei e a castração a que todos somos submetidos, constitui a verdade da descoberta do inconsciente que não pode mais ser calada. Se a alguns essa verdade pode parecer cansada, trata-se para nós de mostrar sua força e o gume de seu fio cortante demonstrando o inconsciente em sua verificação conceitual clínica e ética.

A obra freudiana: o inconsciente de ponta a ponta

Ao fazermos uma panorâmica da obra de Freud com Lacan verificamos uma unificação do conceito do inconsciente.

1895 é o ano em que Freud tem o sonho inaugural da injeção de Irma e, ao se permitir desenrolar os pensamentos a ele conexos, percebe como funciona o seu inconsciente, partindo então para a formulação de suas leis. 1895 é também o ano em que publica os *Estudos sobre a histeria* em colaboração com Breuer, onde descreve os mecanismos de formação dos sintomas histéricos a partir da hipnose, descobrindo sua origem sexual, sua relação com o Outro parental e seu caráter inconsciente. A partir de então, Freud começa a elaborar sua teoria, que chamará de psicanálise, sobre essas duas bases: o sonho, como via régia do inconsciente, e o sintoma neurótico, como atualização de um trauma sexual infantil.

Essa é uma data pré-histórica, porque a história propriamente dita da psicanálise começa em 1900, no começo do século, com a publicação do famoso livro *A interpretação dos sonhos,* no qual, após uma revisão bibliográfica, Freud inicia sua contribuição original e inaugural com esse sonho da injeção de Irma — que ocorre logo após ter recebido a notícia de que sua ex-paciente Irma está indo muito mal, o que o levou a se perguntar se isto se deve ao fato de a análise ter fracassado. Resolve então escrever o caso clínico de Irma tarde da noite, porém dorme e sonha que não é ele e sim outro colega o responsável pelo fato de Irma não estar bem. É um sonho que, portanto, desculpabiliza Freud, realizando o desejo de não ser responsável pela saúde de Irma, o que o faz concluir que o sonho realiza um desejo. Freud afirma que esse sonho também evoca questões relativas à sexualidade, mas com o pudor e a discrição que lhe são peculiares, apenas ressalta o tema, indicando que o sonho aponta para a existência de pensamentos recalcados inconscientes. Generaliza daí a tese de que todo sonho é realização de desejo, descobrindo as leis fundamentais da formação de sonhos (a condensação e o deslocamento).

Nos sonhos, às vezes aparecem pessoas, que não se sabe quem são, mas que, ao se analisar, verifica-se que têm o nariz de um, a boca de outro e o andar de um terceiro, sendo portanto uma condensação de vários personagens que foram importantes na vida do sonhador. No deslocamento, há a mudança de importância de uma coisa para outra, como na associação livre, por exemplo, em que, em vez de se falar de sapato, fala-se de meia, apontando o deslocamento de uma palavra para outra devido à proximidade de uma idéia com outra.

O que Freud descobre é que, para se interpretar um sonho, é necessário passar do sonho a seu relato, pois o sonho, apesar de ser figurado em imagens, é feito de linguagem ou, como diz Freud, de pensamentos oníricos. Na verdade, o inconsciente não se encontra por si mesmo no sonho; só podemos afirmar isso retroativamente quando de seu relato. Há inclusive uma obrigatoriedade, na análise do sonho, de se passar do sonho às suas associações para fazer existir o inconsciente que só se apreende ao pé da letra. São raros aqueles sonhos nos quais se sonha com uma palavra ou letra, a maioria dos sonhos é como um filme, feito de cenas. As representações importantes vão aparecendo a partir de suas associações com as representações que constituíram o sonho.

Freud acaba verificando que a constituição dos sintomas neuróticos obedece à mesma lógica da formação dos sonhos, o que na época foi uma grande novidade, junto com a descoberta do sonho como desejo. Na verdade, essa descoberta freudiana continua sendo a grande novidade do século XX, a qual se renova a cada análise derrubando os pressupostos da ciência com sua exclusão do sujeito do desejo. A descoberta do inconsciente é sempre uma novidade para o analisante quando ele se deixa experimentar a determinação inconsciente de seus sonhos e sintomas.

Se o sintoma segue os mesmos processos de formação que o sonho, apesar de fazer sofrer o sujeito, ele é também uma forma de satisfação de desejo. Mas que desejo é esse que em vez de causar algum prazer causa sofrimento? Será que a teoria do sonho como realização de desejo está errada? Além de o sintoma como realização de desejo parecer contradizer sua teoria, o pesadelo, como sonho de angústia, é mais um argumento contra. Para explicar, Freud propõe dois funcionamentos da subjetividade (que ele chama de aparelho psíquico): o processo primário baseado no princípio do prazer, que visa apenas a satisfação; e o processo secundário, dominado pelo consciente, que visa o recalcamento dos desejos que pululam no processo primário. Constitui então sua primeira tópica, ao afirmar a existência do inconsciente e do consciente ou pré-consciente. Basta se fazer um esforço de atenção, e chega-se ao pré-consciente; daí ele se torna consciente. O inconsciente não. Há uma barreira entre o inconsciente e o consciente. Freud formula portanto, logo de início, a subjetividade humana em conflito, estirada em dois *topos*, designando a divisão do sujeito entre o que ele quer inconscientemente e o que ele conscientemente não quer ou ignora que quer. Encontramos aqui a própria definição de sujeito por Lacan como sujeito dividido: o primeiro nome dessa divisão em Freud é a divisão entre o inconsciente e o consciente (ou pré-consciente).

Em 1905, Freud avança mais, apresentando o que foi um escândalo para sua época e — por que não dizermos — para hoje também: o texto que se chama os *Três ensaios da teoria da sexualidade*. Afirma, no ensaio sobre a sexualidade infantil, que a criança não é aquele ser ingênuo e absolutamente sem malícia como se descreve normalmente, mas que a criança tem uma sexualidade e, que além do mais, esta sexualidade é perversa.

Observa, por meio das atividades infantis, que a criança gosta de se exibir e de ficar olhando, ou seja, que ela é exibicionista e voyeurista, que gosta de chupar, se masturbar e que tem atividades anais e sadomasoquistas. O que se encontra nessa sexualidade infantil aparece nos perversos na idade adulta, nas alucinações e delírios dos psicóticos, no inconsciente dos neuróticos e nos jogos sexuais de todos.

Com esses três ensaios, Freud avança o conceito de pulsão, que é a impulsão do sujeito que tende à satisfação. Trata-se de uma satisfação perversa, pelo fato de usar o outro não como uma outra pessoa, mas apenas um pedaço de seu corpo para a satisfação, pois a pulsão não considera o parceiro como um sujeito e sim como um objeto. As pulsões são sempre pulsões parciais e são elas que constituem o que é propriamente a sexualidade humana. Freud aborda a puberdade e a vida adulta com relação a isso e sustenta que, para o neurótico, o sintoma é a maneira de obter satisfação sexual. Sim, a maneira de o neurótico gozar é o sintoma.

Em princípio, qual é a relação entre o inconsciente e a sexualidade, tal como Freud a descobre? Por um lado, temos o inconsciente estruturado como uma linguagem, como o ensinou a interpretação dos sonhos, e, por outro lado, temos a pulsão impelindo o sujeito a satisfazê-la. Mas o consciente não permite e a recalca, e, ao invés de obter uma satisfação imediata, a pulsão se satisfaz no sintoma.

No mesmo ano (1905), Freud também escreveu *Os chistes e sua relação com o inconsciente*, mantendo os dois manuscritos em mesas diferentes, ou seja, trabalhava um pouco sobre *a sexualidade,* se virava e dali a pouco estava escrevendo sobre os chistes. E isto sem fazer uma articulação entre eles. Notemos que ele já lançara em 1901 a *Psicopatologia da vida cotidiana*, que, ao lado de *A interpretação dos sonhos* e de *Os chistes e sua relação com o inconsciente*, é um dos textos que fundam o inconsciente. Eles constituem "a trilogia do significante" do inconsciente freudiano, na medida em que fundamentam a hipótese do inconsciente demonstrando-o como estruturado como uma linguagem: basta abrir qualquer página deles que se verifica como tudo o que aí é descrito se encontra no jogo da linguagem.

Em 1915, com os artigos de *Metapsicologia*, haverá a unificação teórica da pulsão e do inconsciente com seus jogos de linguagem. O que estou chamando de pulsão, *Trieb* em alemão, será lido na edição da Imago como instinto.[1] O que é contestável, porque o instinto está muito mais próximo do animal do que propriamente do homem. Logo, traduzir "pulsão" por "instinto" já é dar um sentido mais biológico ao que é a pulsão no homem, que nada tem de instintivo, uma vez que ela é obrigada a passar pela rede de linguagem do inconsciente. Há algo na sexualidade que escapa, que o homem não controla, e que nada tem a ver com o instinto animal, na medida em que este encontra o seu objeto na realidade, como o instinto da fome, por exemplo, que tem um objeto determinado, a comida que satisfaz a fome mas não necessariamente a pulsão oral. Quando estamos no âmbito da sexualidade humana, quando vamos falar de desejo e de pulsão, já não encontramos o objeto preestabelecido. Qual é o objeto que satisfaz a pulsão? Pode ser qualquer um e, ao mesmo tempo, ela jamais se satisfaz completamente com objeto algum. Ela se satisfaz com um objeto qualquer, mas daqui a pouco já não é mais isso. Não é pelo fato de se encontrar um objeto que vai saciar a fome que a pulsão oral vai deixar de se manifestar. Continua-se querendo comer uma determinada coisa, e em seguida outra e mais adiante ainda outra, apesar de não se estar mais com fome. É o paradoxo de *l'appetit vient en mangeant*. Quanto mais se come, mais apetite se tem. Pode-se também querer comer alguém, no sentido sexual, fazer sexo oral, comer uma outra pessoa com os olhos etc., o que demonstra que a pulsão oral nada tem a ver com o instinto da fome.[2]

Nos artigos de *Metapsicologia*, principalmente em "As pulsões e seus destinos", "O inconsciente" e "O recalque", Freud demonstra que a pulsão é sempre parcial e tem uma representação de linguagem no inconsciente. Há, no entanto, uma parte que não é representada (que Lacan denomina o real pulsional) que corresponde à libido, a parte energética da pulsão. Na pulsão há um real de gozo impossível de ser simbolizado, pois se encontra fora do significante e do âmbito de Eros, como Freud formula nos anos 20 com o conceito de pulsão de morte. O real é um dos nomes da pulsão de morte que se manifesta no sentimento de culpa, no masoquismo moral e também nos dissabores da vida amorosa e da transferência.

A pulsão de morte é responsável pela repetição, trazendo ao sujeito uma satisfação paradoxal para-além do princípio do prazer — repetição que faz parte do próprio inconsciente, na medida em que se está sempre repetindo os mesmos circuitos das cadeias associativas.

Lacan retomou a teoria freudiana inteira a partir do conceito de sujeito do significante e do conceito fundamental de repetição. Como isso se verifica? Nas coisas, cenas ou palavras que retornam ao sujeito marcando sua vida, pois são representações inconscientes que se repetem sem cessar. Quem já tem um tempo de análise, certamente já o sentiu e formulou algo como: "Já falei tantas vezes sobre isso! Eu nunca consigo deixar de falar da mesma coisa" — ilustrando assim que o inconsciente está amarrado na repetição, articulado numa pulsão de morte que faz com que se retorne sempre a um mesmo lugar. Retorno ao lugar que faz sofrer, retorno que não é regido pelo princípio do prazer mas permeia o mundo simbólico, traçando as vias por onde circula o sujeito, demonstrando a incidência da pulsão de morte no inconsciente, que Lacan designa por insistência da cadeia significante. A partir da pulsão de morte e da repetição, Freud revê toda sua teoria e propõe uma nova divisão das instâncias psíquicas, que será conhecida como a segunda tópica: o isso, o eu e o supereu.

O eu (aquele que diz eu, o senhor da consciência e do corpo) é da ordem do narcisismo, que se encontra achacado entre as exigências pulsionais do isso, reservatório das pulsões, e as do supereu, que exige do sujeito um comportamento ideal. Ao propor essa nova tópica, reformulando sua teoria, Freud tenta dar conta do que são as manifestações dessa satisfação paradoxal, para-além do princípio do prazer, que faz o sujeito gozar de seu mal-estar.

Com a segunda tópica, o complexo de Édipo — descoberto inicialmente por Freud a partir da análise de seus próprios sonhos como um duplo desejo inconsciente — adquire seu valor conceitual articulando a falta e a diferença dos sexos, o desejo e a lei, a castração e a angústia. Ao problematizar o Édipo nos anos 20, Freud estabelece a articulação entre o complexo de Édipo e o complexo de castração. É a partir da castração que o complexo de Édipo se reordena — em torno da ameaça de castração para o homem e da inveja do pênis para a mulher —, articulando a falta com o complexo de Édipo (-φ). Para o menino, trata-se da ameaça de castração pelo pai que viria a castrar o filho por desejar ficar com a mãe; e para a menina, a inveja do pênis que supõe que iria satisfazer a mãe. Freud retoma, portanto, o complexo de Édipo em torno de algo que marca toda a psicanálise: a falta. Trata-se de uma falta que dá o selo à sexualidade e que adquire no falo seu significante primordial, ou seja, a sua significação de castração. Há duas vertentes da falta. Por um lado, a falta causa desejo, por outro, cria a angústia de castração, mostrando aí o mal-estar do sujeito. A angústia se manifesta quando o sujeito não consegue cumprir as ordens do supereu, sendo que, na verdade, ele nunca consegue, porque o supereu está sempre comparando o sujeito com aquilo que ele supõe que seria o ideal necessário (ideal do eu) para ser amado pelo Outro a fim restituir o narcisismo da infância em que ocupava a posição de "sua majestade, o bebê". E o supereu está sempre aí, paradoxalmente exigindo e apontando essa impossibilidade.

Freud verifica e desenvolve, em 1930, as repercussões dessa estrutura subjetiva na cultura e escreve um texto deslumbrante, *O mal-estar na civilização*, considerado inclusive por sociólogos e antropólogos até hoje como uma referência incontornável. A civilização é o lugar da expressão do supereu para o sujeito na medida em que exige sempre do sujeito a renúncia pulsional. Nela, as manifestações do supereu aparecem para o sujeito como uma figura do Outro, figura de autoridade, de imposição, de comando e até mesmo de tirania. Na medida em que o supereu tem suas raízes no isso, de onde tira sua forma pulsional, ele é uma instância que está sempre acuando o sujeito ao forçá-lo a realizar o impossível de suas exigências, empurrando-o a satisfazer seus ideais e, ao mesmo tempo, a renunciar a pulsões. A cultura e a relação com os outros são o terreno propício para a manifestação desse paradoxo do gozo, marca do supereu. O inconsciente, que se manifesta na cultura, traz a característica desse aspecto pulsional, fazendo os sujeitos repetirem nas relações com os outros aquilo mesmo que os leva ao pior — a expressão da pulsão de morte.

Em 1937, dois anos antes de morrer, Freud escreveu *Análise com fim ou sem fim*, a partir da dificuldade que encontrava em sua clínica de fazer os pacientes terminarem as análises. No início da psicanálise, com a descoberta do inconsciente, apesar do entusiasmo dos psicanalistas que rodeavam Freud e do interesse despertado pela novidade, houve ao mesmo tempo uma grande resistência por parte dos pacientes a entrarem em análise. Com a divulgação das idéias de Freud, isso foi sendo vencido até que, nos anos 30, Freud notou o problema oposto, ou seja, a dificuldade de os sujeitos irem embora de suas análises e de se darem por satisfeitos uma vez obtido aquilo pelo qual tinham vindo. Acaba concluindo que toda análise desemboca na questão da castração considerada, por ele um rochedo inamovível, inquebrantável e intransponível. Em 1938, em seu texto sobre a *Spaltung*, sua última obra (traduzida como *A clivagem do ego no processo de defesa*), Freud aponta que o sujeito se divide frente à castração e que isso produz uma fenda que jamais se fecha, indicando portanto que a divisão do sujeito (*Ichspaltung*), assim como castração, é incurável.

Freud mostra essa divisão a partir do perverso, o qual diante da descoberta da castração no Outro sexo, da constatação de que a mãe não tem pênis, se divide. Por um lado, o sujeito dá crédito, por outro, nega, desmente: "não, ela tem, ela tem sim, eis aqui o pênis da mãe, transformado num fetiche". Ora, na verdade, a questão da castração é da ordem do insuportável para todo mundo e, no "Esboço da psicanálise", Freud generaliza a divisão do sujeito. Diante da castração não há como não negá-la: o perverso desmente, o neurótico recalca e o psicótico rejeita completamente (foraclui).[3] Mas a questão da verdade da castração retorna ao sujeito: o neurótico recalca e sintomatiza, o perverso desmente e fetichiza e o psicótico foraclui e alucina e/ou delira. *Spaltung*, que significa divisão, clivagem, fenda, esquize é a própria característica do sujeito do inconsciente, pois sua definição inclui a castração. Ela coloca por terra todo e qualquer ideal de harmonia em que o sujeito seja inteiro (ou esteja inteiro) em alguma situação.

Lacan toma as duas pontas, do início e do final, da obra de Freud e, unindo-as com o conceito de *Spaltung*, mostra que a divisão do sujeito do significante corresponde à divisão do sujeito em relação à realidade da castração. Divisão que se encontra desde o início, com a descoberta do inconsciente, até o final, quando Freud postula a incurabilidade da fenda do sujeito. Quanto ao inconsciente, Lacan o vincula com o conceito de repetição para além do princípio do prazer a fim de demonstrar a insistência da cadeia significante e a articulação do inconsciente com o gozo apreendida a partir de sua característica de *Zwang*.

O sujeito do inconsciente e a trilogia do significante

A distinção entre o eu e o sujeito é difícil de apreender, na medida em que este escapa à percepção e à intuição, tendo sido necessário a Lacan promover o retorno a Freud e elaborar uma teoria que encontra seu suporte em outras disciplinas, que vão da lingüística à matemática, para formalizar que sujeito é esse do inconsciente. Nosso ego, nosso bem pensante ego cartesiano, diz *penso, logo sou*. Eu me defino pelo que estou falando, pelo que estou pensando, pela minha imagem corporal, mas isso não me diz quem sou. Esse eu do pensamento consciente e do corpo não se confunde com o sujeito do desejo inconsciente. O *Ich*, que se encontra nos termos freudianos, se refere em alguns textos ao eu e, em outros, ao sujeito (como no caso da *Ichspaltung*). O eu da consciência se sobrepõe ao sujeito, barrando-o e escamoteando-o:

$$\left(\frac{\text{eu}}{\$}\right)$$

Ao abordarmos o inconsciente, referimo-nos ao mesmo tempo ao sujeito e ao desejo. Esse sujeito é tão inapreensível por esse eu quanto o desejo. Lacan escreve sujeito dividido com um S barrado, riscado ($), para indicar que o sujeito equivale a um significante riscado, pulado na cadeia de significantes do inconsciente, apontando que não existe significante que designe o sujeito. Essa barra, em lógica, significa negação sendo, portanto, $ o matema do sujeito do inconsciente definido pela impossibilidade de sua nomeação e pelo vazio de sua negatividade.

Antes de continuar, é preciso esclarecer o que é significante, cujo conceito é solidário da tese do inconsciente estruturado como uma linguagem. É em Saussure que Lacan encontra sua fonte para tratar do significante. Saussure toma uma palavra qualquer designando-a por signo lingüístico, a palavra mais simples do mundo: árvore. Mas, para sair um pouco de todo o imaginário que a palavra árvore pode nos evocar, ele a emprega em latim, para mostrar que se trata apenas de um termo: *arbor*.

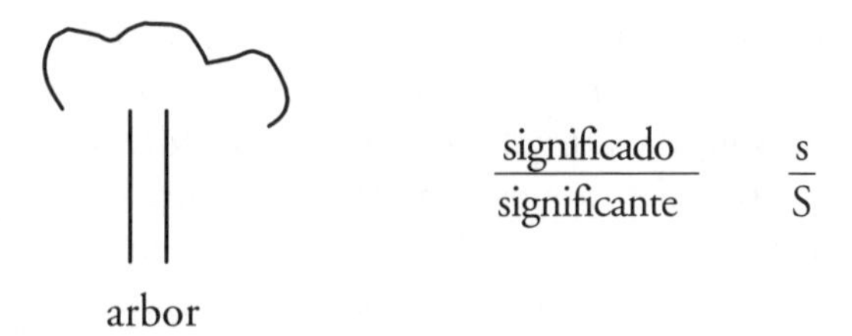

Quando se diz *arbor*, temos o que ela significa e seu som. No signo lingüístico, o que a palavra indica é a coisa que ela representa. Quando se diz "árvore", todo mundo já tem a representação de alguma árvore. Toda palavra, portanto, que ele chama de signo lingüístico, tem seu som, que ele chama de imagem acústica (não tem nada a ver com imagem, é o simples som), e o conceito de árvore, ou seja, o significado daquele som que é a coisa que o som designa[4]. A imagem acústica, esse som extraído de seu significado, para aquém ou para além do conceito que a representa, o puro som, é o significante. Lacan vai inverter essa relação, colocando o significante em cima e o significado embaixo. (S/s) Por quê? Porque o inconsciente se interessa muito mais pelo significante do que pelo significado, ele é constituído por cadeias de significantes.

Que a fala tenha uma função de comunicação, todos notamos isso; o que não notamos é que ela tem também uma função de mal-entendido. Ao saírem de uma conferência minha, dizem: "O Quinet disse aquilo"; outros contestam: "Não, o Quinet disse aquiloutro". Por mais que tenhamos um vocabulário em comum e que eu tenha a impressão de me comunicar com a audiência, o que digo evoca em cada um coisas distintas que fazem associar a outras tantas coisas. Às palavras que uso atribuo determinados significados e, felizmente, há alguns significados em comum que podemos partilhar, senão todos falariam um dialeto particular que seria incompreensível para qualquer outro. Se, por um lado, partilhamos de significados comuns a certos significantes, por outro lado, o fato de falarmos a mesma língua não impede o mal-entendido próprio à linguagem, que nos indica que não estamos tão distanciados da torre de Babel. Cada um tem seu "idiolês".

No dicionário, significantes têm não um, porém uma série de significados. Se isso já dificulta o entendimento, o inconsciente nos mostra que o que interessa ao sujeito, por exemplo, não é cadeira o conceito de quando ele se refere à palavra *cadeira* numa análise. Não é o nível do dicionário que o interessa, ou seja, a definição dicionaresca de uma cadeira com sua função mobiliária, seu determinado material, se tem quatro ou três pernas, se seu estilo é esse ou aquele. O que interessa é ao que "cadeira" remete o sujeito, podendo remeter, por exemplo, a uma cadeira de uma cena da infância, debaixo da qual aconteceram determinadas coisas fortes da vida libidinal do sujeito. Na análise trata-se não da articulação da cadeira com seu significado e sim da articulação do significante cadeira com outro significante. Freud percebe que os sonhos, os sintomas, os lapsos são todos da ordem do chiste, como trocadilhos, porque funcionam muito mais na base do jogo de significantes do que na base dos significados. Insistimos no significante, e não na palavra, para podermos discernir, por um lado, que toda análise é uma experiência de significação (de se dar novos significados a significantes, a acontecimentos, a coisas que aconteceram na vida do sujeito ou de se verificar a não significação de determinadas coisas) e, por outro lado, a importância de certos significantes que constituem os significantes-mestres norteadores de sua existência.

O primeiro ponto é portanto a prevalência do significante em relação ao significado. Na verdade, o significado é outro significante, não existindo o significado fixo de nenhum significante, pois o significado pode remeter a outros. Tomemos um significante e fixemos seu significado com um significante. Se, em seguida, formos definir este último, vamos encontrar outro significante, e assim por diante. O inconsciente é constituído dessa forma: pelo desfilamento dos significantes, que deslizam sem cessar não se detendo em significados.

O que Freud designa por cadeia associativa, Lacan vai chamar de cadeia de significantes, um significante articulado a outro, a outro, a outro. Eis o que se verifica na trilogia do significante em Freud. Como se dá esta articulação de sentido na psicanálise? Vemos, com Saussure, que os significantes são articulados entre si e com seus significados correspondentes.

$$\begin{array}{ccccccccc} S & - & S' & - & S'' & - & S''' & - & S'''' \ldots \\ | & & | & & | & & | & & | \\ s & & s' & & s'' & & s''' & & s'''' \end{array}$$

Ao encadearmos uma frase, as palavras apresentam seu significante, o som, e o seu significado, o conceito que ela representa. A experiência do inconsciente nos revela que não é bem essa articulação que é dada, mas uma articulação em que nós temos uma cadeia de significantes e que só no final de uma frase é que vamos ter o sentido do primeiro significante. Tomemos o exemplo de um tipo de alucinação de Schreber: "eu agora vou me...". O que significa esta frase? Só poderemos conhecer seu sentido se pudermos ir até o final da frase que, no caso, ele mesmo completava "... convencer-me de que sou louco". Então o significante *louco*, que é o último termo da frase, é o que dá o sentido do que estava acontecendo com ele. A constituição do sentido, que a psicanálise nos desvela, se dá *a posteriori*, do final para diante. Assim, como no caso do sertanejo rosiano das *Primeiras estórias*, é o significante "familhas-gerado" que dá o sentido ao significante desconhecido "famigerado". Trata-se do conceito de *nachträglich* de Freud, que mostra, no caso do Homem dos Lobos, a partir de uma experiência na qual ele assistiu à cena primitiva do coito parental, que a cada momento de sua história ele conferia um sentido diferente a essa cena. A análise é também assim, mas não só. Isso é uma experiência da vida em geral. Um acontecimento importante na vida de alguém pode ter hoje para ele um significado diferente do que tinha ontem. E quem sabe se amanhã já não será ainda outro diferente? A sessão de análise é também ressignificada a partir do corte da sessão, que implica uma experiência de pontuação. Lacan representa a estrutura da significação mostrando que o vetor do significado corta o do significante, produzindo o sentido *a posteriori*.

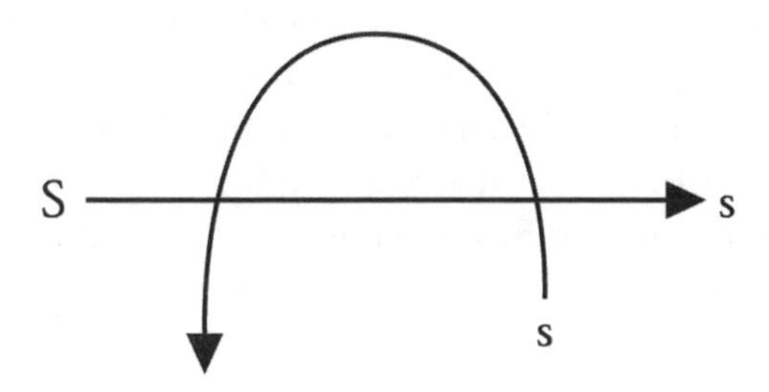

Metáfora e metonímia

Lacan propõe, a partir de Freud, duas formas, e apenas duas formas, de articulação dos significantes, designando-as por "as leis do inconsciente", no texto "A instância da letra no inconsciente ou A razão desde Freud". É um texto bastante indicativo de que Freud inaugura na história das idéias uma nova razão. Nele propõe as leis do inconsciente, que correspondem, do ponto de vista da lingüística, à condensação e ao deslocamento descritos por Freud em *A interpretação dos sonhos*. Quais são essas duas leis? A metáfora e a metonímia.

Lacan utiliza a metáfora para mostrar que o que Freud chama de condensação (a figura composta que aparece no sonho) é uma superposição de significantes, ou seja, a substituição de um significante por outro significante, como encontramos na poesia. Tomemos uma frase: A mulher é uma rosa. Será que a mulher é uma rosa? Uma planta? Não, é um efeito metafórico. Quando digo "a mulher é uma rosa", estou usando o termo "rosa" para apontar alguma qualidade desse sujeito da frase que está elidida, sendo apenas evocada. Pode ser o atributo da beleza, o perfume, a delicadeza, pode, em suma, ser várias coisas. O que é certo é que algo foi substituído, havendo uma palavra nessa frase que foi substituída pela palavra "rosa". Essa substituição de significantes pode ser escrita: S'/S. O efeito poético da metáfora deixa em suspenso o significado: o que significa afinal dizer que a mulher é uma rosa? O sentido não nos é claramente dado, mas aparece o efeito de significação.

No matema da metáfora: $f\left(\frac{S'}{S}\right) S \cong S\ (+)\ s$. A barra entre S' e S corresponde ao recalque, sendo que o significante (S') substitui o significante recalcado (S), e o sinal (+) é a emergência da significação. Lacan indica que essa forma de articulação entre dois significantes é própria do sintoma, definido portanto como um nó de significação. O sinal (≅) significa congruência. A falta de significado exato aponta tratar-se de uma articulação de significantes que na verdade pode continuar a deslizar, pois não se resolve o problema sobre o que é uma mulher com o significante "rosa", que não é seu significado mas um significante que foi acoplado ao significante mulher.

O efeito metafórico que aparece é uma lei própria da linguagem, inseparável portanto do significante como o puro significante cantado na voz da poeta: "Uma rosa é uma rosa é uma rosa". O segundo "rosa" é diferente do primeiro, e o terceiro do segundo e assim por diante. Nesse exemplo, o efeito metafórico presente como efeito poético, fura, no entanto, a significação

A segunda lei do inconsciente é a metonímia. É uma articulação de um significante ao outro por deslizamento. Tomemos o famoso exemplo de metonímia: "Trinta velas despontam no horizonte". Ao invés de se falar barco, fala-se vela, de acordo com a definição da metonímia que é a parte pelo todo, pois tomou-se parte do barco, a vela, para se referir ao barco. Para generalizar o termo metonímia, podemos dizer que o que permite articular vela com barco — a parte pelo todo — é simplesmente a articulação significante, ("vela" se articula com "barco"). A falta de significação própria da cadeia significante corresponde ao reenvio da significação de significante em significante próprio à associação livre. No matema da metonímia: $f(S...S')\ S \cong S\ (-)\ s$, a conexão do significante com o significante (S...S') não permite a cristalização de um significado, o sinal (-) representando a resistência à significação.

Essas leis fundamentais da linguagem são as leis do inconsciente. Se a metáfora é aquilo que constitui o sintoma, a metonímia é o que dá a característica do desejo. Por quê? Porque o desejo é marcado pela falta, por aquilo que não se tem. Certo dia uma paciente impaciente me falou assim: "Mas como é que eu só posso desejar aquilo que eu não tenho?" Ao que pensei: "Mas como é que ela pode desejar aquilo que tem?" Ao se ficar satisfeito e contente com aquilo que se tem, certamente o desejo se manifestará em outro lugar, pois o desejo é propriamente a falta, é sempre desejo de outra coisa. Pois se é desejo de uma coisa, daqui a pouco já é de outra coisa e em seguida de outra, porque a característica do próprio desejo é ser metonímico, deslizar na cadeia significante. O desejo é a metonímia da falta: o envio da significação sempre a outro significante da metonímia corresponde à característica do desejo sempre faltoso. Assim como o ser da coisa nunca é atingido pelo significante, o desejo está no próprio deslizamento do significante que busca se realizar de significante em significante. É isso que confere ao desejo seu aspecto enigmático: ele está sempre escapando como no jogo de passar o anel. Você acha que é aquilo e já não é.

Para abordarmos a clínica do inconsciente a partir de suas leis, tomemos um exemplo clássico da *Psicopatologia da vida cotidiana* em que Freud propõe utilizar um diagrama na análise do esquecimento de um nome próprio, Signorelli, demonstrando brilhantemente a hipótese do inconsciente. Enquanto o ato falho é uma formação do inconsciente que passa para o consciente, sendo da ordem do recalcado e surgindo à revelia do sujeito, no esquecimento não se deixa aparecer na consciência o que se quer lembrar, e em seu lugar surge um significante absurdo que dribla o recalque. É um ato de fala falho do sujeito mas é bem-sucedido no sentido do inconsciente.

Freud está viajando de trem e começa a conversar com seu companheiro de cabine que não conhecia. Estava na Dalmácia e pegara um trem que ia de Raguza para um lugar na Herzegovina. Diz ele: "Nossa conversa voltou-se para assunto de viagem na Itália." Freud perguntou se ele já conhecia Orvieto, e se havia visto os famosos afrescos que havia na catedral, que eram pintados por... E não lembrou o nome que deveria ter vindo, que era Signorelli, o pintor. Mas vieram outros nomes como Botticelli e Boltrafio. Todo mundo passa por essa experiência em que tenta recordar uma coisa, um nome, e ele não vem, surgindo outro que se sabe não ser aquele, mas não se sabe por que é ele que aí comparece. Presentifica-se a falsa recordação que vem no lugar do que seria a verdadeira recordação. E, no entanto, é uma verdade que aí se manifesta.

Freud confere a essa coisa ínfima, esse pormenor da vida psíquica, o status de uma formação do inconsciente, para mostrar como funciona. Verificaremos como a tese de Lacan de que o inconsciente é estruturado como uma linguagem é na verdade uma tese compreendida no próprio texto de Freud. A partir desse pequeno fato psíquico, Freud começa a procurar, por livre associação, o motivo pelo qual esqueceu o nome Signorelli. Lembrou-se do que estava conversando um pouco antes sobre esse tema: os costumes dos turcos que viviam na Bósnia e na Herzegovina. Contara que ouvira de um colega médico a descrição de como as pessoas que lá viviam tinham uma atitude extremamente condescendente com a morte, não apresentando grande medo dela. E, quando, por exemplo, um médico que vivia nessa região dizia não ter nada para fazer pela pessoa, que ela ia morrer mesmo, ouvia: "Senhor, o que hei de dizer?" E ele se lembrou que isso vem do alemão *Herr.* Notou que é o início de Herzegovina. "*Herr*, o que hei de dizer? Se houvesse uma maneira de salvá-lo, sei que o senhor teria feito isso". Descobre de onde veio Bósnia, e encontra, nessa conversa anterior, significantes que verifica estarem articulados a Signorelli, Botticelli e Boltrafio. Mas o que Bósnia, Herzegovina e Herr têm a ver com eles? Aparentemente nada, mas Freud supõe que essa série de pensamentos teve a capacidade de perturbar a outra série, impedindo-o de lembrar o nome do pintor. Ora, durante a conversa sobre os costumes dos turcos, de que eles aceitavam bem a morte, lembrou-se de que tinham uma atitude oposta em relação ao sexo. Se alguém tinha alguma perturbação sexual, tipo impotência ou frigidez, era um horror. Eles preferiam morrer a ter algo dessa ordem. Lembrou-se porém calou-se. Calou-se porque achava não ser muito conveniente e, principalmente, porque isso remeteu a um assunto desagradável. Havia estado, algum tempo antes, na cidade chamada Trafoi, em que um paciente, que fizera análise com ele, suicidou-se por causa de uma perturbação sexual incurável. Conclui: "Tenho certeza de que este acontecimento triste, e tudo relacionado com ele, não foi lembrado por minha memória consciente."

Mas afinal o que aconteceu? O assunto recalcado, e agora lembrado, recalcou outro pensamento articulando morte e sexo que vinha na seqüência e sobre o qual o Freud consciente não queria nem saber. A força do recalque se manifestou no esquecimento daquele nome, levando consigo o nome que fazia parte da cadeia que não podia aparecer na consciência. O que foi recalcado acabou se manifestando de uma forma deformada por associação, pela articulação de significantes, nos nomes que surgiram no lugar do esquecido. Para explicá-lo, Freud propõe o seguinte esquema:

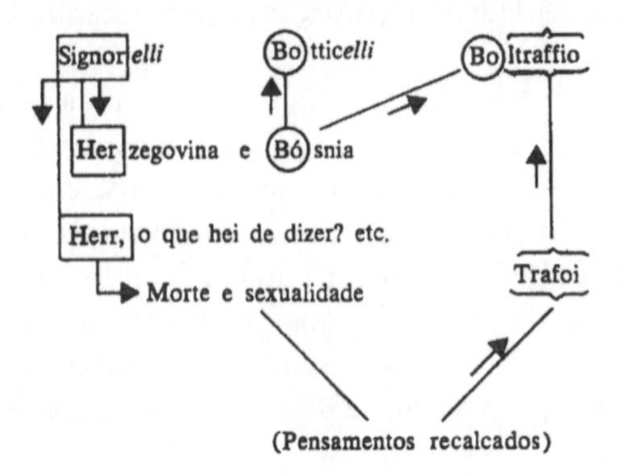

Ele põe o significante Signorelli na mesma linha de Botticelli e Boltrafio, pois estes dois vieram no lugar do que foi recalcado. Por que se dá essa articulação? *Signor*, senhor, é a tradução em italiano de "Herr", que aparece no Herzegovina e naquele *Herr* da frase "Senhor, mas que hei de fazer, se o senhor não pode fazer mais nada?"

Signor é portanto o significante que remete a outro significante, "*Herr*", que remete a outro significante, Herzegovina, e a essa frase do Herr que lembra a história dos russos na Bósnia. E temos o BO para o significante que vai constituir a palavra Botticelli. ELLI remete ao significante do Signorelli. E ainda o Boltrafio, que vem da Bósnia e também de Trafoi. Vê-se através da decomposição significante como essa palavra nova foi constituída pela decomposição desses significantes, que aparece no BÓS/NIA. Essas associações de significantes constituem a falsa recordação que, com esses a ela articulados, não deixa de remeter à morte e à sexualidade, assunto proibido, onde Freud coloca "pensamentos recalcados" que foram os que deram o alerta de perigo.

Eis uma demonstração do inconsciente estruturado como uma linguagem. Longe de ser algo do tipo um saco sem fundo, de onde vai-se tirando coisas, o inconsciente está na superfície, não está escondido, mas na cara. Só está escondido na medida em que não é formulado e não se desenrolam seus significantes. O inconsciente, enquanto tal, se manifesta através dessa articulação de significante em significante — eis por que Freud inventa uma técnica, que tem apenas uma regra, que é "a regra de ouro da psicanálise": a associação livre. E que, na verdade, não tem nada de livre, pois a tendência do inconsciente é repetir. A associação de idéias é marcada pelos pensamentos recalcados que dão a ordenação da cadeia associativa; são os significantes recalcados veiculadores de cenas onde se manifesta o desejo: significantes-mestres que orientam a cadeia significante do sujeito.

O sonho, com o qual Freud descobriu a Outra cena que constitui o inconsciente, é também uma forma de articulação significante "deformada". É a partir do relato do sonho, que cada cena representa, que os significantes vão se conectando com outros significantes, fazendo assim aparecer os significantes recalcados por onde rolam os dados do desejo.

O primeiro exemplo de Freud, nas *Conferências introdutórias*, de 1915, em que retoma toda a teoria psicanalítica, é o de um presidente (o equivalente ao presidente do Senado) que, ao abrir uma sessão que ele sabe que vai ser muito difícil e polêmica, diz em sua fala inaugural: "declaro fechada a sessão, oh! quero dizer, declaro aberta a sessão", mostrando aí o ato falho como um ato bem-sucedido em declarar o desejo do sujeito. Vejamos um exemplo recente e brasileiro. Durante a CPI dos medicamentos, para defender o consumidor, o governo preconizava a venda dos medicamentos genéricos (o nome de suas fórmulas químicas) contra a venda dos medicamentos com o nome fantasia que cada laboratório utiliza, devido ao aumento abusivo de preço. Uma jornalista de uma grande emissora de TV, ao entrevistar um representante do Procon, acaba traindo "sua neutralidade" ao perguntar: "O que você acha que é melhor para os consumidores: os genéricos ou os verdadeiros? Que horror! Verdadeiros não, os medicamentos dos laboratórios?".

O sintoma obedece à mesma estrutura do ato falho, pois o sintoma para a psicanálise se diferencia do sintoma para a medicina basicamente por sua estrutura de linguagem e pela implicação do sujeito. Se alguém chega ao médico e diz que está com uma dor no fígado, por exemplo, será submetido a um exame clínico para saber de onde vem aquela dor e tratá-la com remédios ou cirurgia. Para o psicanalista é diferente. Tenho um exemplo em que justamente a palavra "fígado" aparece em dado momento na análise de um sujeito, estudante de medicina, remetendo-o a uma aula de anatomia em que os estudantes estavam fazendo a dissecção de um fígado e, de repente, um pedaço caiu no chão. Eles descobriram que o fígado, que tem uma consistência parecida com a da borracha, quica quando cai no chão. "Quica que nem bola", disse o analisante. Os estudantes começaram então a fazer entre eles uma guerra com pedaços de fígado, um jogando fígado no outro numa brincadeira muito divertida. O paciente recordava-se com certo horror disso. "Como é que nós brincávamos com pedaços de cadáver?" Essa cena o remeteu a uma decepção amorosa: era apaixonado por uma menina chamada Cristina, que tinha o apelido de *Quica* e não dava *bola* para ele. Vemos aqui o tipo de articulação significante que interessa ao inconsciente, o significante "fígado" se articulou ao "quica", e ao "bola", significantes equívocos que o remeteram a uma cena de decepção amorosa. A associação livre fez colocar em cena o inconsciente estruturado como uma linguagem e como desejo. Daí a técnica psicanalítica obedecer à estrutura do inconsciente, tratando-se tão-somente de uma *talking cure*.

Capítulo II
A estrutura significante e a pulsão

Desinventar objetos. O pente, por exemplo. Dar ao pente funções de não pentear. Até que ele fique à disposição de ser uma begônia. Ou uma gravanha.
M.B.

A psicanálise é uma antipsicologia, pois enquanto a psicologia, ao lidar com os processos conscientes, está imersa no reino do sentido, a psicanálise opera sobre o inconsciente, que dá prevalência ao significante — pois o significado nada mais é que outro significante que, junto com o primeiro, produz efeito de sentido. O significante é apenas o som da palavra esvaziado de sentido, como uma palavra estrangeira desconhecida ou o nome próprio que, embora designe, nada significa. Se não se conhece ninguém que responda por aquele nome próprio ou se não se conhece a cidade a que ele se refere, esse nome próprio não é mais do que o som de uma palavra. Trafoi. O que quer dizer Trafoi? Para mim não significa nada, só me remete a esse exemplo de Freud. Ao ouvir Trafoi, penso imediatamente que faz parte da associação de idéias de Freud, dessa formação do inconsciente em que ele esqueceu o nome Signorelli e que em seu lugar veio o significante Boltrafio, que ele associou a Trafoi. Eis o significado desse significante para mim, mas poderia continuar infinitamente dando seqüência a essas associações a que ele inicialmente me levou.

O que mostra que a associação de idéias se faz pela via do significante e não do significado. Eis o que a psicanálise permite apreender no esquecimento, no ato falho, no chiste, no lapso e também no sintoma que apresenta essa mesma estrutura de linguagem. Vamos a um exemplo clínico, que às vezes fala mais alto do que explicações. Tomemos o sintoma principal do Homem dos Ratos que o levou até Freud, que é o sintoma de uma dívida que ele contraiu e não consegue pagar. Há muitas pessoas que têm dívidas que não pagam, mas ele, como bom neurótico que é (e não um canalha que pode usar o que é do outro sem problemas), culpabiliza-se por não conseguir pagá-la. Essa dificuldade se transformou num sintoma obsessivo que compulsivamente o impele a pagar a dívida e, ao mesmo tempo, o impede de fazê-lo. Essa impossibilidade o leva a um extremo sofrimento, o que não o impede de continuar tentando pagar; pelo contrário, ele não mede esforços para tal.

Trata-se de uma dívida complicadíssima. Ele estava no meio da guerra e perde os óculos. Pede, então, por carta a seu oculista para mandar-lhe outros óculos pelo correio. Quando chega a caixa com os óculos perto do lugar onde se encontrava seu batalhão, um capitão entrega-lhe o pacote dizendo que ele tem de pagar ao tenente A. Esse tenente diz que não é a ele a quem tem de pagar e sim ao tenente B. A partir daí ele se vê numa enrascada sem saída. A dívida se transforma num sintoma e torna-se uma dívida impagável, denotando a característica do desejo do obsessivo: a impossibilidade. E o que é desejo vira obrigação, com a característica de compulsão (*Zwang*) a realizar, ou seja, ele se vê obrigado a fazer exatamente aquilo que lhe é impossível fazer. Num mesmo sintoma vemos a obrigação e sua impossibilidade: ele é simultaneamente impelido e impedido de pagar a dívida, que se transforma numa idéia obsessiva torturante.

Qual é a chave que utiliza Freud para desvendar o enigma desse sintoma? Ele percebe o elemento significante de articulação dessa dívida com a economia libidinal do sujeito a partir do significante *prestação* (quantia que se paga parceladamente quando se compra alguma coisa a prazo), que em alemão é *Raten,* com um T, que equivoca com *Ratten* com dois Ts, que significa "rato". É a mesma palavra que se ouve, mas não é a mesma palavra. A partir da lingüística podemos dizer que é o mesmo significante *Raten*, que tem duas grafias diferentes e dois significados diferentes. Temos o significado da prestação que aparece no sintoma da dívida e o significante "rato", que passa a fazer parte de suas idéias obsessivas a partir de um relato do capitão tcheco — o que lhe entregou o pacote com os óculos e que estava portanto envolvido no tema da dívida. Ele lhe contou um suplício que consistia em introduzir ratos vivos no intestino do indivíduo através do ânus. Era a tortura usada por determinado povo nos países do Leste para com seus prisioneiros. Ao ouvir esse relato, imediatamente lhe vem a idéia de que isso estava acontecendo a uma pessoa querida, ou seja, à dama que habitava seus pensamentos e por quem nutria amor e admiração, e também a seu pai. Foi nessa mesma noite que esse capitão lhe entregou os óculos que chegaram pelo correio. E, no momento de recebê-los, uma outra idéia lhe surgiu como uma solução: ele não deveria devolver em pagamento o dinheiro, se não o suplício dos ratos iria acontecer a seu pai e à dama. Mas tampouco podia deixar de pagar e, em sua neurose obsessiva, acabou inventando uma "moeda-rato". O "gozo ignorado de si mesmo", que Freud nota na expressão do Homem dos Ratos quando do relato em análise do suplício dos ratos, aponta a emergência de um gozo ligado a uma questão anal do sujeito, que aparece em seu sintoma da dívida. E essa ligação entre o anal, o dinheiro, o rato e a dívida é feita pelo significante *Ratten/Raten*.

Eis um exemplo do funcionamento do inconsciente com relação aos significantes. A partir dessa equivocidade significante, ele faz o sintoma. *Ratten/Raten* é um significante que se encontra na encruzilhada de articulações significantes diversas, constituindo o sintoma como sobredeterminado, como nos diz Freud. A sobredeterminação nada mais é do que a articulação das cadeias significantes encontradas ao se decifrar o sintoma, isto é, ao se fazer deslizar e desdobrar os significantes recalcados que a ele estão atrelados.

Uma analisante fez um sonho que considerou estranhíssimo, no qual tinha perdido um vidro de absinto. Mas absinto? "É um tipo de droga, diz ela, que dava 'barato' antigamente, no século passado, coisa que nem se usa mais." Falar absinto pode evocar diversas coisas, eu mesmo pensei em abcesso, porque ela havia feito recentemente um abcesso no corpo. Pensei que talvez isso tivesse a ver, mas não disse nada e fiquei esperando o que ela iria associar, pois essa era uma associação minha. De repente, ela passa a palavra para o francês — ela teve uma educação francesa — e fala *absinthe*, que é o mesmo significante de *absente*, "ausente" no feminino. A passagem de uma língua para outra é muito freqüente na análise de pessoas poliglotas, como vimos no próprio exemplo de Freud. O significante *absente* remeteu à sua própria história, sobre a qual percebeu que sempre se sentiu ausente do desejo do Outro pois o Outro paterno jamais estava presente em sua casa. Na sua vida adulta, reatualizando a ausência/presença do pai, era ela quem, nas situações em que diante do Outro social devia manifestar sua presença, respondia "ausente". Estar *absente* constituía assim um sintoma em sua vida que a fazia sofrer, pois não respondia "presente" à convocação do desejo. Pela pura associação de significantes, "absinto" trouxe à baila sua situação fantasística e a pergunta: "qual é o meu lugar no desejo do Outro?" O que ela respondia pela ausência, por ter sempre se sentido ausente do desejo paterno.

O processo da análise é o processo de deciframento dessa articulação significante, que nada mais é do que um desdobramento, um desenrolar das cadeias de associação de significantes. Quando ela falou "absinto" e eu pensei "abcesso", eu estava errado. O que mostra que quem faz a interpretação dos seus próprios sonhos é o sonhador. Eu não falei "abcesso" para ela, apenas pensei, pois se eu dissesse "é um abcesso", estaria dando um significado àquele "absinto" e com isso teria interrompido a cadeia significante e ela não teria chegado — pelo menos naquela ocasião — ao significante *ausente*, um significante-mestre em sua história. Quem interpreta é, portanto, o próprio sujeito, ao deixar-se vagar por suas associações: *absinto, absinthe, absente, ausente.* Este último significante nessa cadeia é o significado de "absinto". "Absinto" aqui não quer dizer a bebida absinto, quer dizer "ausente". Essa sessão pode ser considerada como uma frase que começa com "estou procurando um vidro de absinto", do relato do sonho, e termina com "ausente", que dá portanto o significado ao termo "absinto", cujo significado dicionaresco pouco importou. Não se trata de um significado que esgote o sentido, mas de um significante que remete a outra cadeia associativa em que está presente a questão do desejo como desejo do Outro.

As propriedades do significante

Vejamos agora as propriedades do significante.[1] A primeira propriedade indica que um significante não se define pelo significado e sim por outro significante, com o qual ele vai estar em oposição. Tomemos o significante "homem". Quando se diz "o homem e a humanidade", "o homem e a massa", "o homem e o animal" e "o homem e a mulher", esse *homem* que está presente nessas quatro proposições é o mesmo? Esse simples exemplo mostra que a primeira propriedade do significante é que ele só se define pela diferença. E essa diferença se encontra em sua situação de oposição a outro significante. O exemplo freudiano clássico é o jogo do carretel da criança do texto *Para além do princípio do prazer.* Para simbolizar a ausência e a presença da mãe, ela utiliza um carretelzinho com um fio e emite, num movimento de afastar e aproximar o carretel, um som O e A que Freud interpreta como querendo dizer FORT para longe e DA para perto. O que a criança faz a nível da fala é situar um par de significantes em oposição O/A e nessa enunciação simboliza a ausência e a presença da mãe. Nesse exemplo, em que a criança repete alguma coisa que lhe é desagradável, e o qual Freud utiliza para ilustrar a repetição a serviço da pulsão de morte, Lacan aponta o paradigma da oposição significante como simbolização primordial. Para que o universo simbólico se constitua é suficiente ter um par de oposição significante. Lacan demonstra isso matematicamente, de uma maneira muito simples, a partir de um jogo de par ou ímpar no "Seminário sobre A carta roubada". O que define, portanto, o significante é a sua localização em relação a um outro significante, como o significante *absinto*, que se opõe a *presente* devido a seu equívoco com o significante *absent*.

A segunda propriedade do significante é sua topologia de composição "segundo as leis de uma ordem fechada". É uma ordem que tem suas leis, como vimos, metáfora e metonímia. Essa ordem fechada constitui a repetição própria ao inconsciente, mostrando que a associação livre não é tão livre, pois as cadeias significantes têm uma amarração que faz com que se esteja sempre voltando aos mesmos lugares, como pode ser verificado no exemplo dos números ditos ao acaso: esse acaso nunca é por acaso, pois o encadeamento dos significantes segue determinadas vias particulares de cada sujeito. O que Freud mostra nada mais é que o acaso no inconsciente é determinado e tem leis.[2] Por isso Lacan propõe pensar o inconsciente como o conjunto de cadeias significantes em que cada uma, como um anel, se articula com outra cadeia significante formando assim anéis dentro de um colar, que se articula com outro anel de um outro colar, feito de anéis e este com outro colar e assim sucessivamente.

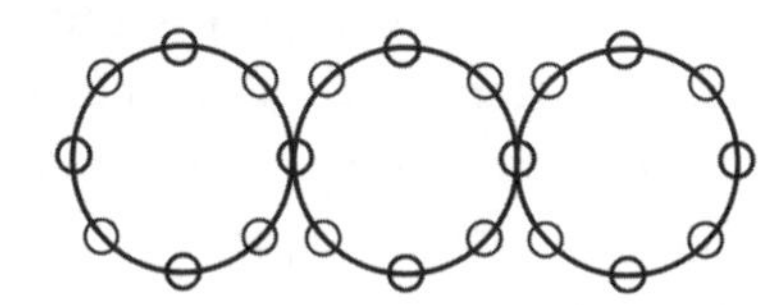

O inconsciente é constituído por anéis de cadeias significantes articulados em colares que se conectam entre si. Um significante de uma cadeia faz também parte de outra cadeia significante que se conecta com outros significantes, mostrando assim a sobredeterminação de toda formação do inconsciente.

A simultaneidade de pertencimento de um mesmo significante a mais de uma cadeia lhe confere uma propriedade fundamental não só para a constituição dos sintomas, como também para a técnica analítica no que diz respeito à interpretação. Trata-se da equivocidade. É uma propriedade cujos exemplos abundam tanto nos textos da trilogia do significante quanto em outros de Freud, que, por vezes, a designa como espirituosidade ou "ambigüidade" — como no texto "Delírios e sonhos na 'Gradiva' de Jansen", em que Zoé utiliza essa propriedade na interpretação do delírio histérico de Norbert Hanold. A equivocidade do significante aparece como o fato de uma palavra poder ter vários sentidos (ambigüidade semântica), como verificamos no dicionário; estruturalmente, porém, ela é devida à articulação e à posição do significante na sua conexão com os outros. A equivocidade significante é a característica do inconsciente, que Lacan eleva à condição de definição do próprio inconsciente ao traduzi-lo do alemão *Umbewust* para o francês como *Une bévue* (uma equivocação). O inconsciente é equivocidade, e nesta se repercutem a divisão do sujeito e a impossibilidade de sua definição por um significante que fosse unívoco e que o designasse como tal.

A equivocidade se contrapõe a outra propriedade do significante, que nos faz tender a tomá-lo como um só e unívoco. Trata-se do poder de comando próprio ao significante, que se encontra mais evidente no imperativo do que nas formas indicativo ou subjuntivo. Faça! Pare! Ande! O poder de comando transparece também evidenciado nas falas performativas descritas por Austin em seu livro *Quando dizer é fazer.*[3] Essa propriedade aí evidenciada se encontra presente em todo significante. Esse poder também comparece em seu aspecto hipnótico — o significante faz o outro obedecer e também o faz adormecer. Quem assiste a uma palestra sabe que o significante pode ser um bom sonífero. Essa propriedade é relativa à característica unitária do significante — ele é um, todo significante é em si um S_1, significante-mestre. E essa função da unidade é correlativa à sua propriedade de diferenciação. "O que distingue o significante, diz Lacan no Seminário da Identificação, é unicamente ser o que todos os outros não são." O que no significante implica a função da unidade é justamente ser apenas diferença. É como pura diferença que a unidade em sua função significante se estrutura e se constitui.

Enfim, não podemos deixar de evocar a propriedade do significante de tender a precipitar a significação, antecipar o sentido. Quando se ouve uma cadeia significante é difícil ir contra essa propriedade de antecipar o sentido, seja de uma frase, palavra ou interjeição. Ela é tão forte e presente que passa desapercebida e devemos insistir para atentar que o significante em si não significa nada. As crianças nos ilustram isso muito bem quando não entendem uma palavra ou escutam uma palavra nova, em princípio desprovida para elas de sentido. Sua tendência é utilizar o equívoco da língua e, no lugar da palavra desconhecida, colocar um significante cujo sentido já lhe é dado por um significado conhecido. Como mesinha de "travisseira" (no lugar de "cabeceira"), "áfrica" na boca (no lugar de "afta") e nos exemplos "O Cristo rebentô no Rio de Janeiro" relatado por Jairo Gerbase e o caso do menino que disse ter ido para os "Gustavos Unidos", contado por Bárbara Guatimosin.

A propriedade de espirituosidade do significante (correlata à equivocidade) é amplamente demonstrada por Freud no texto *O chiste e sua relação com o inconsciente.* Ele parte do significante "Familionário" do chiste descrito por Heine em que o personagem Hirsch Hyacinth, ao relatar um episódio com o rico Barão de Rothschild, disse: "Sentei-me ao lado de Salomão

Rothschild e ele me tratou como seu igual. Ele me tratou familionariamente." Freud aponta, a partir desse exemplo, que para se chegar ao significado o que importa é a localização do significante em relação a um outro significante. O "poder da posição, diz Freud, é o que interessa, seja na guerra para os guerreiros, seja entre as palavras". O desvendamento da posição do significante na cadeia associativa é o que constitui propriamente a decifração do inconsciente.

"Familionário" é uma palavra condensada, produto da condensação entre o familiar e o milionário. Ao interpretar esse chiste, ele diz que o sujeito queria dizer familiar, mas tem algo que ele evitou dizer e que vai aparecer como significante novo, que é o familionário. O que ele recalcou e não quis dizer é: "Rothschild tratou-me bastante familiarmente, isto é, tanto quanto é possível para um milionário." Não acreditando que um milionário pudesse ser sincero, o desdém e a ironia em relação ao milionário que são recalcados aparecendo no chiste de uma forma deformada. Poderíamos ter outras interpretações, por exemplo, a de que ele foi tratado de forma familiar por um milionário, como gostaria de ser. De qualquer forma, vemos que é diferente do caso Signorelli: lá ocorreu a substituição de um significante por outro e aqui a constituição de um novo significante por condensação. Eis o esquema que Freud propõe:

famili ar
mili onário
faMILIon ÁRIO

Trata-se de uma equação cujo resultado é um neologismo do mesmo tipo dos que se encontram na fala dos sujeitos na psicose, onde o inconsciente está a céu aberto. Nos dois casos apreendemos que o inconsciente se manifesta através dos jogos de linguagem.

Há uma distinção fundamental, introduzida pelos lingüistas, entre a fala e a linguagem. A fala é a presentificação, na palavra, da linguagem. A fala implica o sujeito dirigir-se a Outro, implica o reconhecimento do Outro e a articulação, em palavras, da demanda e do desejo em relação a Outro. Quando Lacan se refere à linguagem, trata-se da articulação dos significantes entre si com suas leis: a metáfora e a metonímia. É a isso que ele se refere ao dizer que o inconsciente é estruturado como uma linguagem. Essa diferença entre linguagem e fala ou palavra (palavra aqui é no sentido de palavra falada) é essencial para manter a distinção entre as leis que regem a fala e as que regem a linguagem. As leis da fala implicam a mensagem do sujeito e seu reconhecimento pelo Outro no pacto da palavra falada, onde circula a verdade. O Outro da fala é o lugar da falta e da verdade do sujeito. Que a fala se apresente como o Outro do sujeito se deve (além do fato de o inconsciente se manifestar em significantes) a essa particularidade de o sujeito se ouvir quando ele mesmo fala e ao se ouvir se dividir, pois, por vezes, fala coisas que não queria, que não sabia (que sabia) e que o surpreendem como se fosse a fala de outrem. E também quando não escuta o que fala, principalmente quando é algo que ele não queria falar e, sem querer, fala. O inconsciente vence o recalque e este se manifesta numa "surdez momentânea", o sujeito não reconhecendo o que falou, e procura se corrigir. Um conhecido, ao descrever seu modo de funcionamento no novo cargo do governo, comentou: "eu parto do princípio de que eu estou certo e os outros estão errados". Ao que retruquei brincando e dizendo que julgava um tanto onipotente de sua parte. Ele se espantou e perguntou: "Mas eu estou errado? Eu parto do princípio...", e repetiu exatamente a mesma frase. Não pude deixar de rir. Aí ele falou a frase pela terceira vez e só aí se ouviu e tentou consertar. Mas era tarde demais e teve que confessar que havia se traído.

Após termos descrito as propriedades principais do significante, que na verdade independem do inconsciente, não podemos deixar de justapor aqui duas definições do significante por Lacan que dizem propriamente respeito à descoberta freudiana e ao retorno a Freud.

1. "O significante é o que representa o sujeito para outro significante." Como o sujeito não pode ser nomeado, na medida em que é falta-a-ser, ele só pode ser representado, e é essa representação que define o significante para a psicanálise. O inconsciente é estruturado como uma linguagem em que os significantes representam o sujeito que aí tem seu hábitat. E o sintoma é uma modalidade da representação do sujeito, como veremos adiante.

2. "O significante é causa de gozo." Ao tomar as quatro causas de Aristóteles, Lacan demonstra que a articulação entre o significante e o gozo é a de causalidade, como também veremos no capítulo sobre o sintoma.

O inconsciente se atualiza na transferência. O desenrolar das cadeias significantes que constitui a livre associação de idéias se efetua na transferência com o analista, na medida em que o sujeito dirige a sua fala — ou, em termos lacanianos, sua cadeia significante — para o analista que se situa para ele no lugar do Outro. Não custa lembrar que o Outro é um lugar, pois o Outro não é ninguém, sendo o lugar equivalente ao lugar psíquico onde se passa o sonho, que Freud chama, a partir de Fechner, de *a outra cena*. O grande Outro como lugar é o lugar do código para o sujeito, onde se encontra o tesouro dos significantes, elementos da linguagem. Mas, esses significantes são de quem, afinal? Do sujeito que fala? Do sujeito que escuta? Está na cultura? Onde é que estão os significantes?

O Outro como inconsciente, como alteridade radical para o sujeito, é o lugar que se presentifica na fala a partir da linguagem. Ele não se situa propriamente nem fora nem dentro do sujeito, mas faz parte da ordem do simbólico que é da mesma ordem da cultura. O inconsciente como o Outro da linguagem significa que não há barreira entre o que é do sujeito (enquanto "seu" inconsciente) e o que é do mundo simbólico em que ele está inserido. Os significantes que constituem o inconsciente são determinados significantes que estão aí o tempo todo e que, no momento em que se fala, experimenta-se seu peso e seu valor. "Mas você sabe que a pessoa pode encalhar numa palavra e perder anos de vida?" — pergunta Clarice Lispector. "É que as palavras, com essa coisa de se plantarem na nossa vida, nos alimentam e nos matam, são remédio e veneno, e, como os produtos de uma farmácia, são drogas que podem matar ou curar" — responde Affonso Romano de Sant'Anna. O conceito de inconsciente indica que não só habitamos a linguagem, mas que ao mesmo tempo somos habitados por ela. O sujeito sempre se mantém numa relação de alteridade em relação a seu inconsciente, o qual, por definição, evidentemente, jamais será totalmente consciente. Da análise, espera-se que o sujeito conheça os significantes primordiais que o determinaram em sua história e em sua vida a partir da decifração do inconsciente, para que possa deles se desalienar escapando de seu poder de comando.

Inconsciente e transferência

O analista, prestando-se a esse lugar do Outro para o sujeito, faz com que, através da associação livre, o inconsciente se presentifique e possa ser decifrado pelo próprio sujeito. Um paciente em análise me dizia: "Eu sei que você não tem aí nenhuma função, a única coisa que você faz é me fazer falar; aí eu pensei, cá comigo, que podia continuar sozinho. Até que entendi que a sua função é essencial, pois é nos momentos em que estou em casa pensando na análise, ou vindo para cá, ou aqui na análise, que começo a pensar as minhas coisas." O sujeito em associação livre, é um sujeito dirigindo-se ao analista cuja presença nas sessões é condição *sine qua non* para fazer o inconsciente existir. Pode parecer estranho, mas o inconsciente se presentifica na poltrona do analista. O inconsciente vai se situar nesse lugar (A) ocupado pelo analista — se ele permitir, evidentemente —, pois é a ele, pela transferência, que é dirigida a associação livre. Sua função é fazer existir o inconsciente, para que o próprio sujeito possa encontrar as cifras do seu destino, seus significantes-mestres (S_1).

O Outro do analista não se confunde com a pessoa do analista, que é nosso semelhante, homem ou mulher, que está escutando a fala do sujeito. O Outro é o lugar do inconsciente a que o analista é chamado a ocupar, vindo representar todos os que ocuparam o lugar do Outro na vida do sujeito. A pessoa do analista, enquanto semelhante, é um ser igual e também rival que se situa em espelhamento ao sujeito formando um par imaginário com seu duplo narcísico (a-a'). Essa diferença estrutural se encontra no esquema L de Lacan, solidário da diferença entre Outro e outro e da definição do inconsciente como discurso do Outro.

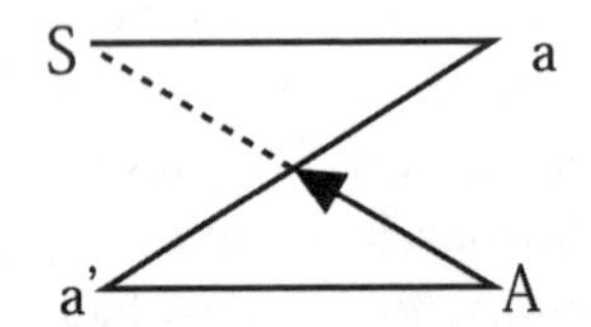

Temos aqui uma polaridade, na linha de cima, onde se encontra de um lado o sujeito (S) e do outro lado o pequeno outro (a). Do lado direito está o *Ich* freudiano, que se desdobra em sujeito do inconsciente (S) e na linha inferior no eu (a'). Assim como do lado esquerdo a alteridade se desdobra em o Outro e o pequeno outro. A linha que liga o Outro com o sujeito representa o inconsciente, sendo interrompida pela linha da relação imaginária que liga o pequeno outro ao eu (o consciente). Para se ter acesso ao inconsciente é preciso driblar o recalque, como nos casos dos *Botticelli, Boltrafio* e *familionário*. A mensagem do inconsciente, como lugar do Outro, que chega ao sujeito tem que atravessar a barreira especular (a-a') e ir para além (ou para aquém) do sentido, que é sempre imaginário.

Se o Outro constitui o tesouro dos significantes no lugar do inconsciente, não é, no entanto, um conjunto fechado, em que tudo está coberto pelo significante. No Outro há uma falta que é estrutural e que pode se escrever [$S(\not{A})$]. Esse matema pode ser lido de várias maneiras. Como significante da falta do Outro, designa que falta o significante que completaria o Outro, e que nem tudo é significantizável, que nem tudo pode ser dito.[4] Pode designar também que há um significante, no caso o falo (Φ), que tem a função de suprir a falta do/no Outro. O risco ou a barra sobre o A indicando negação aponta para a falta de consistência e, até mesmo, a inexistência do Outro, que nada mais é do que uma coleção incompleta de significantes.

Essa falta, que se situa no nível dos significantes, corresponde estruturalmente à falta descrita por Freud no complexo de castração. Esse Outro é portanto marcado por uma falta que podemos chamar de castração, mas o sujeito não quer saber da falta no Outro nem da sua própria. Na análise, o sujeito deve ser levado a se confrontar com a falta para chegar à pura diferença. Trata-se de sua diferença, de sua singularidade.

Pulsão, sintoma e *acting out*

O inconsciente não é pura articulação de significantes. O inconsciente é pulsional. Cabe-nos, portanto, efetuar a articulação do conceito de inconsciente com o conceito de pulsão.

A eficácia da psicanálise depende diretamente dos efeitos de sua práxis sobre um dos destinos da pulsão; o recalque, cuja teoria Freud considerava "a pedra angular sobre a qual repousa a estrutura da psicanálise", como podemos ler em seu texto "Sobre a história do movimento psicanalítico". Pretendemos abordar aqui o recalque e duas modalidades de sua manifestação, ou seja, de seu retorno: o sintoma e o *acting out,* para interrogar o efeito da análise sobre a pulsão no neurótico.

O âmbito pulsional é o campo de Eros em que brotam as flores do mal, onde a pulsação da vida é mordida pela morte. Nos anos 20, Freud encontra o que considera seu verdadeiro dualismo pulsional: Eros tende à união, à aspiração ao Um, à vida, à reprodução, e a pulsão de morte é destrutividade e desunião, o impulso que na vida só quer morrer. A pulsão de morte é o que vem fazer objeção ao Um da relação sexual de complementaridade prometida por Eros.

Com Freud dizemos que a pulsão é o conceito-limite entre o físico e o psíquico; com Lacan podemos dizer que a pulsão é o conceito-limite entre o simbólico e o real, pois se encontra na interseção dos dois registros:

Simbólico: a pulsão é representada no inconsciente pelo conjunto de *Vorstellungrepresentanz,* ou seja, por significantes. São os significantes representativos da pulsão que fazem o inconsciente ser estruturado como uma linguagem.

Real: trata-se da energia pulsional, a libido, cuja manifestação no sintoma Freud designa por afetos, entre os quais privilegia a angústia. É a energia que se presentifica como satisfação pulsional ou gozo do sintoma.

As pulsões são nossa mitologia, pois ao mitificarem o real reproduzem a relação do sujeito com o objeto perdido. Mitificação paradoxal, pois, por um lado, lá onde está o sujeito não se encontra o objeto, ou seja, nas representações representativas da pulsão no inconsciente que indicam as demandas do sujeito ao Outro, e as demandas do Outro ao sujeito, modalizadas pela pulsão oral, anal etc... E, por outro lado, lá onde está o objeto da pulsão não se encontra o sujeito.

No registro simbólico da pulsão, o sujeito em *fading* se encontra em conexão e disjunção com a demanda do outro ($ ◊ D). No real, o sujeito é seus objetos, como é ilustrado no esquema no trajeto pulsional proposto por Lacan. Ao atingir sua meta, percorrendo seu trajeto de ida e volta em torno do objeto, a pulsão se satisfaz mostrando-se acéfala, sem sujeito.

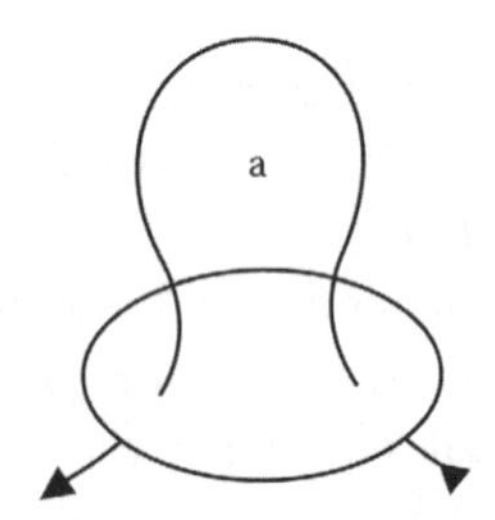

Por se situar nos registros do simbólico e do real que a pulsão é o conceito-chave que permite sustentar que a psicanálise opera sobre o gozo por intermédio da linguagem.

As representações representativas da pulsão recalcadas constituem o inconsciente. Recalque e inconsciente são, portanto, correlativos. O recalque originário corresponde à recusa da pulsão pelo consciente e à fixação de significantes à pulsão que permanecem ligados a ela e subsistem no inconsciente que se estrutura como uma linguagem da pulsão. O recalque, nos diz Freud na *Metapsicologia*, concerne aos "derivados mentais da representação recalcada ou a tais cadeias de pensamento que, originando-se em outra parte, tenham entrado em ligação associativa com ela". Há, portanto, significantes da pulsão recalcados e uma formação contínua de cadeias de significantes ligados a eles. É essa rede de significantes com suas interligações que faz da associação livre a única regra da psicanálise compatível com a decifração do inconsciente — o sujeito vai desenrolando as cadeias significantes até cair em uma formação de pensamento na qual, diz Freud, "a relação com o recalcado age com tal intensidade que ele deve repetir sua tentativa de recalque". É aí que se encontram as formações do inconsciente: nos tropeços da fala, nos desditos do dito, na negação do declarado.

O sintoma, como um derivado do recalcado, é uma formação do inconsciente, ou seja, uma formação substitutiva do significante recalcado sendo, portanto, uma metáfora $\left[\frac{S'}{S}\right]$. A única arma que o analista tem contra o sintoma, nos diz Lacan no Seminário 23, de 1975, é o equívoco — pois, ao jogar com a propriedade de ambigüidade do significante, o analista provoca a abertura de outras vias associativas, permitindo trazer à luz os significantes recalcados que representam a pulsão no inconsciente.

O sintoma é uma atividade sexual, sendo o modo pelo qual o neurótico goza. A pulsão se satisfaz no sintoma: satisfação paradoxal, pois geradora de desprazer. Esse paradoxo só se esclarece a partir da concepção de que toda pulsão é pulsão de morte (devido ao intrincamento de Eros e Tanatos) situandose a satisfação do sintoma para além do principio do prazer.

Tomemos como exemplo a fobia de Hans. A pulsão presente no sintoma de ser mordido pelo cavalo é a pulsão oral, que se satisfaz fazendo-o desaparecer como sujeito e desvelando seu status de objeto — objeto a ser mordido. No registro pulsional, o sujeito é equivalente ao objeto ($\$ \equiv a$). Daí o gozo pulsional aparecer sob a forma de angústia provocada pelo cavalo, significante de sua fobia.

A interpretação psicanalítica, ao agir sobre esse destino pulsional que é o recalque, tem efeitos sobre a satisfação pulsional à qual se habituara o neurótico.

A atuação, ou seja, o que se convencionou chamar de *acting out* a partir da tradução de Strachey, é uma manifestação pulsional em que o sujeito repete ao invés de recordar. Como o sintoma, o *acting out* apresenta uma vertente significante discernida por Freud desde sua *Psicopatologia da vida cotidiana,* no que ele chamava, na época, de atos sintomáticos, ou de atos falhos, que equivalem a uma confissão do sujeito. Esses atos exprimem o que o sujeito "tem a intenção de guardar para si, diz Freud, ao invés de transmitir aos outros". Nessa confissão, a dimensão do Outro está sempre presente: o sujeito envia, assim, sem querer querendo, uma mensagem inconfessa. O ato falho é, na verdade, bem-sucedido em dizer sobre o recalcado

O acting out apresenta essa vertente significante do ato falho numa pantomima em que o sujeito endereça sua mensagem ao Outro. Como o sintoma, o *acting out* é uma manifestação do inconsciente e tem valor de verdade. São dois modos de satisfação da pulsão no retorno do recalcado. A característica do *acting out* de ser orientado para o Outro faz Lacan dizer no seminário sobre a *Angústia* que se trata aí de transferência sem análise.

Na sua dimensão significante, o sintoma acentua a divisão do sujeito; o objeto da pulsão não é aí discernível senão por inferência, ou seja, como vazio cingido pelos significantes depreendidos da decifração do inconsciente que sua mensagem codifica. No sintoma, o objeto de pulsão é implícito, pois é dedutível apenas por intermédio dos significantes que o constituem.

No *acting out*, o objeto da pulsão é explícito, tratando-se justamente daquilo que o sujeito traz à cena. O objeto *a* no *acting out* encontra-se no primeiro plano — ele é apresentado ao Outro. Aqui o sujeito vai apresentar o objeto separando-o do Outro como tesouro de significantes (a><A).

Se no sintoma há uma opacidade subjetiva, o *acting out* é mostração, velada para nós, mas visível para o sujeito, objetivamente, pois o essencial que é mostrado é o que cai, o que tomba, o objeto como causa. O *out* do *acting out* equivale a trazer à cena o que está fora dela, como quando, como diz Lacan, os espectadores sobem ao palco.

O valor de mensagem do inconsciente, mensagem cifrada de um gozo, é o que constitui o procedimento da psicanálise como deciframento. A leitura do inconsciente no diga-tudo da associação livre conjuga-se com o processo de ciframento do gozo por meio da linguagem. Isto é indicado pela própria direção do tratamento, que consiste em "fazer passar o gozo ao inconsciente, isto é, à contabilidade".[5]

Tombos de um sonhador

Ilustrarei essas duas modalidades de satisfação pulsional a partir de um fragmento de caso clínico para demonstrar os efeitos da análise sobre a pulsão.

Jean-Louis é um menino francês de oito anos, segundo filho de uma família que passou uma temporada morando no Rio de Janeiro, sendo o pai sul-americano e a mãe francesa. Dos quatro filhos homens desse casal, ele e seu irmão logo abaixo são hemofílicos, ou seja, os dois do meio são hemofílicos e o mais velho e o mais moço não.

A hemofilia de Jean-Louis foi descoberta quando ele tinha um ano de idade devido a seus hematomas freqüentes. Essa descoberta causou uma grande surpresa tanto na família materna quanta na paterna por ser o primeiro caso de hemofilia de ambas. Essa descoberta é vivida como uma catástrofe por esse jovem casal, não apenas pela ameaça de morte dessa criança como também pela quebra no ideal partilhado pelo casal de constituir uma família numerosa. A partir de então, a mãe não mais trabalhará, para se ocupar de seu filho hemofílico e dos que virão a seguir.

O casal fará então um curso médico especializado para pais de hemofílicos, na França, aprendendo toda a técnica e todo o saber necessários à manutenção em vida de seu filho suscetível a freqüentes hemorragias, o que permitiu-lhes não abandonar totalmente a idéia de ter uma prole numerosa.

Devido ao trabalho do pai, a família já viveu em diversos países, mas Jean-Louis mantém um controle médico regular na França todos os anos.

Ao fazer recentemente os exames habituais, ele foi ver um psicólogo e acabou encontrando um analista. E, a pedido seu, foi vê-lo várias vezes até que a família retornou ao Brasil e o analista indicou meu nome no Rio de Janeiro, onde estavam morando.

O que decidiu seus pais a trazê-lo a um psicanalista fora do âmbito do corpo médico, além da indicação de meu nome, foi o fato de que Jean-Louis andava totalmente distraído, sem concentração alguma na escola, onde os pais foram chamados devido à preocupação do professor com sua falta de atenção. Eis o sintoma que o traz à análise. Ele é descrito como um *sonhador*, diferente dos pais, que dizem ter *os pés na terra*. No entanto, havia algo que, apesar de colocado em segundo plano, era bem mais grave do que a distração: os acidentes recorrentes com Jean-Louis, pondo em risco sua vida.

Caiu do primeiro andar de sua casa fraturando o braço e a clavícula em circunstâncias estranhas: estava brincando com o irmão mais moço que queria pegar um carrinho que estava em sua mão. Ele foi recuando, recuando, subiu na balaustrada e caiu. Paira a dúvida se não teria se jogado, preferindo cair a ser pego. Em seguida, atravessou uma porta de vidro que não tinha visto e cortou-se todo — o que para um hemofílico é ainda mais grave. Em outra ocasião, estava brincando de Tarzan numa árvore e caiu lá de cima. Teve uma fratura exposta no antebraço que "não conseguiu reduzir aqui no Brasil" (sic) e foi para a França com o pai por 15 dias. O quarto acidente é um estranho episódio, em que paira a suspeita de ele ter empurrado seu irmão de dois anos de idade na piscina de sua casa, o qual só não morreu porque a mãe retirou-o a tempo. Ao não ver o filho mais novo, a mãe perguntou a Jean-Louis por seu irmão e ele disse que não sabia onde estava até que ela viu o bebê no fundo da piscina, retirando-o a tempo com vida. "Com todos esses acidentes, diz a mãe, é o suicídio aos 15 anos."

A mãe relata que, ao ficar ciente da hemofilia do filho veio-lhe imediatamente a frase ouvida em seus tempos de universidade durante uma aula de hematologia: "os hemofílicos não ultrapassam os 15 anos". Um lapso, em que na entrevista comigo troca o número 8 pelo número 15, mostra que para ela tinha soado a hora do suicídio de Jean-Louis, que contava então com oito anos.

A mãe relata que quando nasceu o terceiro filho, também hemofílico, Jean-Louis sentiu que tinham-lhe roubado sua diferença sendo inúmeras as manifestações de ódio e de ciúme em relação a esse irmão. Mais tarde, quando nasceu o quarto filho, Jean-Louis presenciou a mãe eufórica anunciar ao telefone que este último não era hemofílico. Este quarto filho foi a vítima do estranho episódio da piscina, deixando supor que Jean-Louis quisera transferir ao irmão mais moço a sina fatal que lhe estava destinada.

Ele se dá muito bem com o pai, a quem sempre procura para pedir carinho e cuja relação é mais caracterizada pelo corpo a corpo do que pela palavra. Com a mãe é uma "guerra". O pai admite que seu filho possa ter algo a dizer que não falaria com os pais, pois ele mesmo tinha num tio e não em seu pai o confidente-amigo de sua infância, mostrando, portanto, saber que a função paterna é sempre falha, podendo ser discordante com o papel do genitor.

Para esses pais formados no saber médico, o comportamento do filho constituía um enigma, uma falha no saber e seu pudor lhes impedia de dizer a Jean-Louis que ele ia ver um analista. Preferiram dizer-lhe que ele ia encontrar um amigo do Henri, o analista de Paris. "Amigo do Henri" foi a designação conferida a minha pessoa servindo de engate transferencial.

Na primeira entrevista, Jean-Louis entra resolutamente no consultório, senta no divã e, muito decidido, me diz: "Eu estava muito ansioso para te conhecer. Você é um amigo do Henri. Eu te conheço desde sempre." Eis como demonstra, dessa forma surpreendente, que a função do sujeito suposto saber já estava estabelecida independente da minha presença.

Passa então a reclamar do irmãozinho de dois anos, que é muito barulhento em casa; em seguida diz que em sua casa ele é jogado de um lado para o outro e que quando está num lugar chamam-no para o outro canto.

Ele se propõe a desenhar, dizendo que desenhará "coisas de guerra" (ver desenho 1). Desenha uma nuvem e a risca logo em seguida, dizendo que não vai desenhar coisas de menina, e sim de guerra, e faz um tanque. Durante a execução desse desenho, comenta que seu irmão mais velho fica mexendo com ele afirmando que ele está apaixonado pelas meninas, mas ele nega e me diz que não é verdade. Nesse primeiro desenho ele escreve o número do meu consultório (401) situado no quarto andar, inscrevendo assim o local de endereçamento de sua mensagem. A nuvem ao ser riscada, barrada, é paradoxalmente reforçada, mostrando-me sua importância como significante recalcado.

Podemos verificar como, de início, o sujeito se coloca como sexuado para o analista, trazendo a diferença dos sexos representada pelos significantes nuvem e guerra: o significado de *nuvem* é "coisa de menina" e o significado de *guerra* "coisa de menino". A oposição significante *nuvem x guerra* representa portanto oposição *menino x menina.*

Desenho 1

$$\frac{\text{nuvem}}{\text{menina}} \cdot \frac{\text{guerra}}{\text{menino}}$$

Em seguida ele barra a nuvem colocando a guerra em seu lugar:

$$\frac{\text{guerra}}{\cancel{\text{nuvem}}}$$

A guerra será o tema quase constante de seus desenhos seguintes; guerra sendo também o significante relatado pelo pai que designa a relação de Jean-Louis com sua mãe.

Esse primeiro desenho pode também representar o sintoma de Jean-Louis detectado pelos pais e professores: a falta de atenção. Ele é um sonhador que vive nas nuvens até levar um tombo e cair das alturas no campo de batalha da guerra dos sexos — campo minado de morte onde de Eros jorra a hemorragia de gozo. O sintoma do sonhador articulado ao *acting out* das quedas ilustra a dimensão do sintoma que representa "o retorno da verdade como tal na falha de um saber".[6] Trata-se aqui de uma falha no saber médico por onde retorna a verdade do sujeito do desejo embaraçado e dividido em relação ao sexo. O saber médico, que indica que o hemofílico deve evitar cortar-se devido à dificuldade de coagulação do sangue, não dá conta dos acidentes recorrentes que o fizeram tanto sangrar. Esses acidentes apareceram na falha do saber médico, constituindo, como veremos, enquanto *acting out*, a manifestação da verdade do sujeito enquanto castração.

Ainda nessa primeira entrevista, à minha pergunta sobre o motivo de ter ido ver Henri, ele responde: "sou hemofílico" e me conta os dois acidentes em que caiu e quebrou o braço. Quanto ao acidente em que caiu da varanda de sua casa, diz que fez de propósito para chamar a atenção e que devido a isso, me diz com grande contentamento, ficou 15 dias em Paris com o pai, os dois sozinhos — indicando-me ser o pai a quem dirige os tombos em que põe em risco a própria vida — o que me fez considerar os tombos como *acting out*.

Na segunda entrevista, ele entra na minha sala mostrando-me o dedo indicador — o qual havia machucado na véspera quando caíra da bicicleta — e me pede um copo d'água. Gostaria de salientar que o dedo mostrado não apresentava nenhum ferimento visível. Jean-Louis dirige-se então com o copo d'água para a janela, não sem que eu fique um tanto apreensivo, e joga água no dedo deixando-a cair lá embaixo, na rua. Eu pontuo esse ato por um: "você está deixando cair a água". Ao esvaziar a água do copo em seu dedo, este ficou imediatamente bom.

O significante *cair*, duplamente presentificado na sessão (pelo relato da queda da bicicleta e pelo ato de deixar cair água em seu dedo), é o significante da transferência (S) que, articulado ao significante qualquer do analista, no caso, *amigo do Henri* (Sq), mostra o estabelecimento da transferência comigo.

$$\frac{S}{s\,(S^1, S^2 \ldots S^n)} \rightarrow S_q$$

Ele indica assim que me situava no lugar do endereçamento de seu apelo — apelo correlacionado a seus tombos —, que já sabemos ser o lugar do pai. Esse apelo poderia assim se enunciar: "Pai, não vês que estou caindo?".

Por outro lado, há um deslocamento que é efetuado na minha presença entre o deixar-se cair como um objeto e deixar cair um objeto, no caso a água. A partir daí ele passa a me pagar espontaneamente as sessões com biscoito.

Nas sessões seguintes, ele faz desenhos de guerra acompanhados por comentários sobre os efeitos das armas, projéteis e balas sobre os corpos: membros esparsos, esquartejados, pedaços arrancados, esmagamento, partes cortadas. Tudo isso regado a muito sangue e ênfase, denotando um gozo mortífero associado ao espetáculo e às imagens do corpo despedaçado (ver desenho 2).

Em uma sessão dessa análise, que ocorreu em francês, ele está desenhando uma guerra (batalha naval ou guerra nas estrelas) e, como sempre, estão presentes as forças do mal (*les forces du mal*) que atacam a nave, que se encontra no centro do desenho, comandada por um personagem que é o herói da história e com o qual ele se identifica. Num momento de sua descrição, eu, usando o cristal da língua francesa, equivoco "*Forces du mâle ou de la femelle?*".[7] Ele me olha espantado, como se eu tivesse dito uma bobagem e me diz: "O mal contra o bem, ora!". Esse dito do analista teve valor de interpretação, como veremos.

Na sessão seguinte, ele se senta no divã e me diz que está com problemas na escola, que não consegue prestar a atenção. Diz, em seguida, que teve um sonho em que Jaspion era atacado por rodelas lançadas pelos inimigos. Jean-Louis se levanta então e, de pé, passa a fazer a pantomima de seu sonho. Em um dado momento, ele troca o nome de Jaspion e, num lapso, diz "eu". Fica então de pé pulando, mostrando como Jaspion-Jean-Louis se desvia das "rodelas" *(des petits ronds)* que são como que projéteis, balas lançadas contra ele. Eu pergunto quem são os inimigos e ele diz: *mulheres*.

Proponho-lhe como brincadeira contar até três e no final me dizer o primeiro nome de mulher que lhe venha à cabeça. Ele acata de bom grado

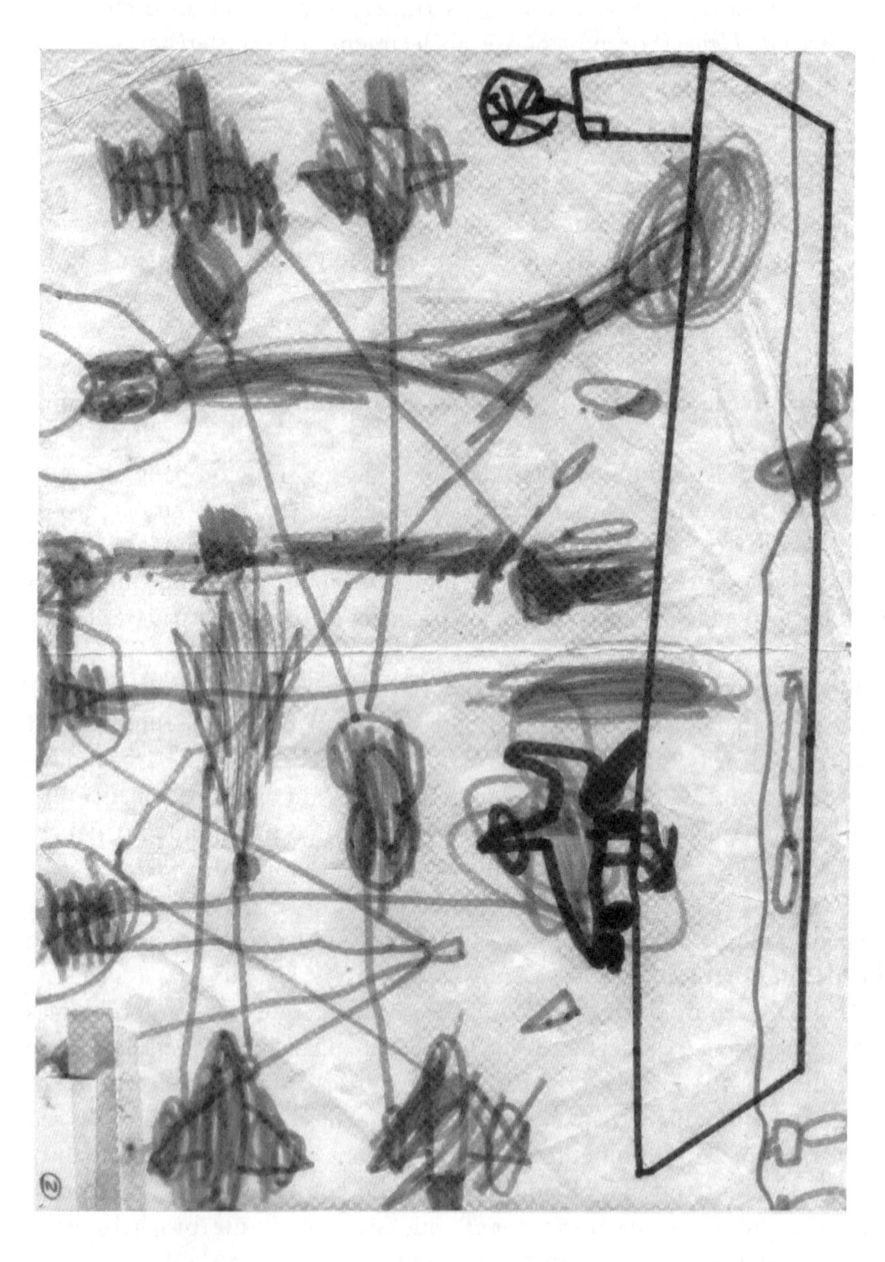

Desenho 2

a brincadeira e primeiro me fala de Isabelle, que é a menina com quem dividia a carteira na escola. Não associa nada a partir daí e me pede para continuar a brincadeira. Digo: um, dois, três e já, e ele diz: Marianne. A partir daí, me conta uma recordação de infância. Quando ele era pequeno, um dia, estava no recreio e Marianne levantou a saia para ele e mostrou-lhe o sexo e ele viu "uma rodela" (um *rond*). Ficou apavorado e foi falar com a diretora, que puniu a menina. No outro dia, a menina fez de novo a mesma coisa, e a diretora foi atrás dela. "Daqui por diante já não é mais verdade", diz ele e continua — "ela subiu num muro, de onde dava para ver de baixo a rodela e, como todo mundo ficava com medo que ela caísse lá de cima, pediam que prestasse atenção para não cair".

A partir dessa sessão seus desenhos se modificaram, concentrando-se na temática das pequenas rodelas que atacam a grande nave de onde o comandante Jean-Louis sempre consegue escapar numa nave menor antes de sua nave explodir (ver desenho 3). Pode-se também verificar que há momentos de trégua na guerra dos sexos, em que as nuvens-mulheres podem conviver com o batalhão fálico de árvores sem, no entanto, se misturarem (ver desenho 4). Esse desenho figura, de uma certa forma, sua tábua da sexuação.

Uma prática, como diz Lacan em *Televisão*, não precisa ser esclarecida para operar. Quanto à psicanálise, não é justamente ao esclarecer seu modo de operação que poderemos apostar em um destino para ela que não seja o porvir de uma ilusão? O que operou neste caso que promoveu o desaparecimento do sintoma com a retomada do rendimento escolar e a interrupção da série de acidentes mortais?

Jean-Louis pôde, a partir do que foi efetuado no sonho, perlaborar a separação do Outro no registro da castração e não mais no registro do ser. Cair era a maneira de se separar do Outro não deixando cair o objeto, mas deixando-se cair como um objeto.

A interpretação do analista (*du mâle ou de la femelle?*) reintroduz a partilha dos sexos ao enunciar o par de oposição significante "macho e fêmea" a partir da equivocação em francês com o par "bem e mal", e o resultado é a cena de castração que dá a razão ao sonho, aos desenhos e também aos tombos. Na cena "de mentira" da recordação de infância, o sujeito está em pelo menos dois lugares: no lugar da vítima da exibição do sexo feminino e no lugar daquele que, castrado, pode cair das alturas e se machucar.

A pergunta que o sujeito se coloca em relação ao Outro ("Pode ele me perder?") era encenada no *acting out* por um *deixar-me cair* respondendo do lugar de objeto na fantasia da mãe, "suicidando-se" aos oito anos: maneira de separar, no *acting out*, com seu próprio ser, o objeto do campo do Outro ($a><\not{A}$).

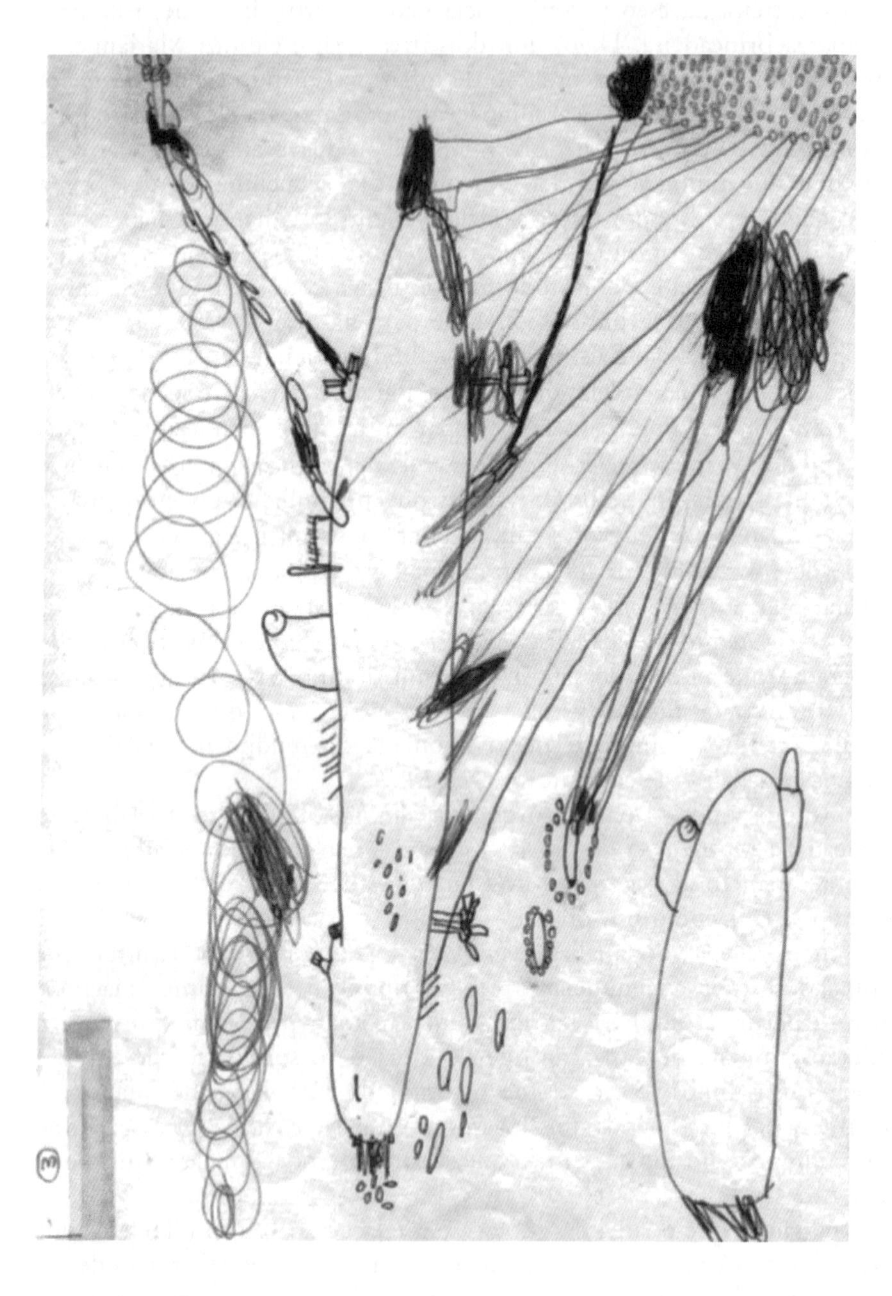

Desenho 3

Desenho 4

O sonho de castração vem apontar que o objeto da separação é o falo denotado pela angústia provocada pela visão do sexo da menina. O objeto a ser perdido pelo/do Outro não é ele com seu ser e sim o falo.

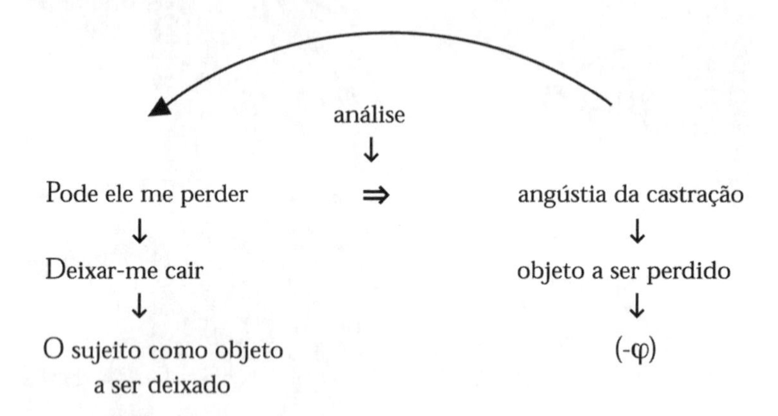

No sonho e suas associações, o apelo ao pai é representado pelo chamado à diretora que vem punir a infratora, colocando em cena a metáfora paterna em que o Nome-do-Pai vem barrar o Desejo da Mãe, que podemos fazer equivaler ao gozo do Outro. Mas a diretora, assim como o pai, é impotente para barrar esse gozo; e daí a cena se repetir e insistir na visão dessa cabeça de Medusa que, sob a forma de uma "rodela", petrifica de horror nosso sujeito. Essa impotência em dar conta totalmente do gozo é, na verdade, estrutural, pois da operação de metaforização do gozo há um resto que é o objeto *a*, $\left[\frac{\text{NP}}{\text{gozo}} \rightarrow \text{a}\right]$ no caso representado pelo olhar, que é o objeto da pulsão em jogo no sonho e suas associações e também no *acting out* dos tombos.

O objeto *a* olhar é articulado ao falo como faltante, figurado pela visão da "rodela" no personagem da menina que sobe no muro e que, se desatenta, pode cair.

Essa seqüência na análise vem retificar a verdadeira condenação do sujeito descoberta por Freud: a condenação do sujeito ao sexual. Ao ser representado pelo significante "hemofílico" para o saber médico, sustentado pelos pais, o sujeito é um condenado à morte. A análise vem abalar a identificação do sujeito ao significante "hemofílico" ao trazer de volta à pauta a questão fálica que faz do sujeito do desejo um condenado à castração.

A análise se interrompe no momento das férias de julho quando a família esteve em Paris e soube que o pai fora transferido. Vieram então para o Rio só para fazer a mudança. Marquei duas vezes e a mãe disse que, se pudessem, iriam. Acabaram antecipando a viagem e não puderam vir. Pelo telefone a mãe me disse que, desde que ele começou a análise, a mudança foi nítida: passou a se relacionar melhor com seus irmãos e com os colegas; está menos fechado, conseguindo brincar sozinho e concentrando-se no que faz; não faz mais brincadeiras perigosas e não houve mais problemas na escola. Pedi que ele viesse ao telefone: ele parecia surpreso que eu tivesse ligado, disse que estava bem, triste de ir embora do Brasil mas que não era decisão sua e sim de seus pais. Ao ser perguntado sobre o que achou do trabalho realizado comigo, ele respondeu: "Isso também vai me faltar."

Poder falar da falta é correlativo à temática da castração reintroduzida pela análise e que é sempre de atualidade para o sujeito, pois reconstitui a verdade que apareceu na falha do saber médico.

Podemos assim esquematizar a mudança que a análise operou nesse sujeito:

$$\left[\frac{S_1}{\$} \rightarrow S_2\right] \rightarrow \left[\frac{\$}{-\varphi} \searrow S_1\right]$$

condenado à morte → condenado à castração
↓ ↓
sonhador → sujeito do desejo
↓ ↓
cair das nuvens → faltar no chão

A análise no âmbito do retorno a Freud que Lacan propõe é o retorno "ao pé da letra". O que vai interessar à análise desse menino não são os significados que eu poderia dar a partir da minha compreensão da psicanálise. Poderíamos efetivamente fazer toda uma teoria a partir da relação mãe-criança, mas é preferível tratar o menino como um sujeito e não como um bebê, não como um filho e sim como um sujeito e, como sujeito, ele é sujeito do inconsciente, sujeito sexuado dentro da partilha dos sexos. Temos de considerar quais são os significados que ele atribui aos seus significantes. A contribuição de Lacan me permite mostrar que o significado de "nuvem" é dado pelo sujeito, e não por nós. O sujeito do inconsciente, que é o sujeito da associação livre, atribuiu um significado que lhe é próprio. Para ele, nuvem é "coisa de menina".

Há todo um imaginário na psicanálise que nos fornece muitos significados; por exemplo, os símbolos que nos levam a povoar os nossos significantes dos significados mais usuais. Esse caso mostra-nos bem o que é guerra para esse sujeito. Quando eu falo guerra dos sexos, não uso esses termos à toa, não é porque as feministas falam de guerra dos sexos desde os anos 50. É ele quem o diz, é ele quem situa a guerra como coisa de menino, nuvem como coisa de menina e coloca a guerra nessa operação metafórica de substituição de nuvem por guerra.

Como uma língua estrangeira, cada um tem sua língua. Mas os significados de cada palavra na língua individual de cada um tampouco são fixos, como o são numa língua estrangeira. Em nossa prática não podemos atribuir os nossos significados aos significantes do sujeito e precisamos ouvir quais são os significados que ele dá, ou seja, qual é a cadeia associativa que ele desenrola. Isso muda completamente a teoria da interpretação. Por isso a interpretação feita nesse caso, utilizando a propriedade de equivocação do significante, introduziu uma ambigüidade, um duplo sentido — o que é diferente de uma interpretação hermenêutica, isto é, de uma interpretação em que o analista atribui um sentido. A partir da interpretação a nível de significante feita pelo analista, Jean-Louis passa a poder elaborar sua relação com o Outro sexo, sua situação entre o macho e a fêmea, então para além de sua posição entre o bem e o mal. A questão sobre o que é um ser sexuado estava sendo recoberta por uma questão bélica e pôde ser relançada na análise.

Capítulo III
O *Wunsch* do sonho

Definitivo, cabal, nunca há de ser este rio Taquari. Cheio de furos pelos lados, torneiral — ele derrama e desmatrela à toa.

Só com uma tromba-d'agua se engravida. E empacha. Estoura. Arromba. Carrega barrancos. Cria bocas enormes. Vaza por elas. Cava e recava novos leitos. E destampa adoidado...

Cavalo que desembesta. Se empolga. Escouceia árdego de sol e cio. Esfrega o rosto na escória. E invade, em estendal imprevisível, as terras do pantanal.

Depois se espraia amoroso, libidinoso animal de água, abraçando e cheirando a terra fêmea.

"Um rio desbocado", M.B.

É com o tratado sobre os processos oníricos, a *Traumdeutung*, que Freud inaugura a psicanálise como ciência do desejo, ao descobrir que todo o sonho expressa um *Wunsch*, mostrando que no inconsciente há desejo, sobre o qual o sujeito sabe sem saber que sabe.

O sonho é a via régia do inconsciente, mas não o sonho (*Traum*) propriamente dito, e sim sua interpretação (*Deutung*). Devemos diferenciar o sonho, como fenômeno, de seu relato com sua interpretação. Como fenômeno, o sonho é uma historinha encenada em imagens durante o sono, recordada ao se acordar. Ao relatá-lo, acaba-se lembrando de alguma coisa que havia sido esquecida pois é a partir do relato que o sonho propriamente se desenrola. O relato em si é sua interpretação, uma vez que ao relatar o sonho o sonhador associa seus elementos a outros elementos significantes de sua história, ou de sua fantasia, que constituirão a interpretação daquele sonho, interpretação que equivale a seu deciframento. É nisso que consiste a revolução freudiana sobre os sonhos: a interpretação do sonho está em seu relato acompanhado de suas associações, sendo efetuada pelo próprio sonhador.

Com a *Traumdeutung*, Freud realiza portanto uma dupla operação invertendo o que classicamente a humanidade inteira considerava como interpretação dos sonhos. A primeira diz respeito ao intérprete: quem interpreta não é o "intérprete dos sonhos", como por exemplo Daniel, que interpreta o sonho de Nabucodonosor na Bíblia, ou o adivinho na Grécia antiga, para quem as pessoas levavam seus sonhos em Delfos para saber qual era a mensagem que os deuses estavam enviando. A primeira operação é portanto sobre o intérprete: quem interpreta o sonho é o próprio sonhador. A segunda operação é uma inversão do conceito de interpretação. Como o sujeito interpreta seu sonho? Freud não chega para o sonhador (ou para si mesmo, uma vez que utilizou seus próprios sonhos para escrever a maior parte da *Interpretação dos sonhos*) e diz: "O que você acha que esse sonho quer dizer?" A operação que Freud realiza é deixar falar sem a menor censura ou maior preocupação com o sentido: "o que faz você pensar a partir de determinados elementos dos sonhos?" Ele convida o sujeito a associar, deslizar de palavra em palavra para ver aonde vai chegar. É uma operação totalmente diferente de dizer: "Diga-me o que acha que significa isso." É uma operação pela via metonímica e não pela via metafórica; pela via significante e não pela via do significado.

Na verdade, é uma tentação constante dos analisantes querer saber o que o sonho está querendo dizer, em vez de deixar associar livremente elemento por elemento. Isto porque existe no sujeito paixão pelo sentido — paixão maior do que o desejo de saber sobre os seus desejos. Em suma, a primeira operação que a psicanálise propõe é fazer com que o sujeito suposto saber, que o sonhador situa no analista, se desloque para o próprio fabricante de sonhos: "Quem sabe é você" — aponta o analista. A segunda operação consiste em apontar a inutilidade de se procurar o sentido, pois o que vai interessar é onde suas associações vão desembocar, como no sonho do absinto.

Se a interpretação dos sonhos é a via régia do inconsciente é porque ela permitiu a Freud a descoberta e a formulação do *Wunsch* inconsciente.

O *Wunsch* freudiano e seu uso em alemão

Em sua carta de 12 de junho de 1900 a Fliess, Freud expressa um *Wunsch*: que, na casa de Bellevue onde passara o verão, um dia haveria uma placa de mármore na qual se poderia ler: "Nesta casa, no dia 04 de junho de 1895, o mistério do sonho foi revelado ao Dr. Sigmund Freud."

Esse mistério é o *Wunsch* que o sonho revela como realizado, tal como foi interpretado a partir do sonho de injeção de Irma que inaugura o inconsciente com a tese do sonho-desejo: *Der Traum ist eine Wunscherfüllung.*[1] Hoje, na floresta de Cobenzl, quase não se pode distinguir a placa da revelação do mistério do sonho que, do alto da colina, traz a marca de Freud para essa Viena adormecida desde que o inventor da psicanálise a deixou. O *Wunsch* de Freud foi, no entanto, realizado. Lá está a placa, marco de um novo século que traz à humanidade um novo cogito: desejo logo existo. O sonho de Freud a despertou para o desejo inconsciente.

O sonho como uma realização de desejo sempre foi considerado por Freud sua grande descoberta: *an insight as this one destination offers us once in a lifetime.*[2] O caráter de intuição, *insight*, ou mesmo de revelação da teoria do sonho-desejo, se deu a partir do sonho de injeção de Irma. Mas afinal o que é esse *Wunsch* cuja descoberta e cujo alcance mudaram a própria concepção do homem?

Freud utiliza um termo banal e corrente da língua alemã e pouco a pouco vai transformando-o, caracterizando-o, conceitualizando-o para fazer do *Wunsch* inconsciente a própria essência do sonho.

* * *

Em alemão, *Wunsch* designa um voto, uma aspiração, um desejo ou mesmo um pedido. O termo *wunsch* é utilizado para expressar, por exemplo, votos de bom aniversário (*Ich wünsche dir alles gute zum Geburtstag*), ou votos de recuperação a alguém que esteja doente (*Ich wünsche dir volle Genesung*). O *Wunsch* também expressa o que se espera acontecer (*Es geht alles nach Wunsch):* tudo está indo como se esperava; *Das ist wünschenswerts* significa "isto é desejável" e *Wunschsatz* é equivalente a "Tomara!", "Oxalá!".

Wunsch é também o pedido que se faz às fadas, às estrelas cadentes ou quando se entra pela primeira vez em uma igreja. É ele que está no centro do conto da lingüiça utilizado por Freud como apólogo para ilustrar a oposição entre os dois processos do aparelho psíquico que põe em evidência a divisão do sujeito em relação ao desejo, pois *Wunsch* é um termo do vocabulário da literatura mágica-infantil dos contos de fada. "Uma fada boa prometeu a um pobre casal garantir-lhes a realização de seus três primeiros desejos (*Wünsche*)". "... Este conto de fadas poderia ser empregado em muitas outras conexões, mas aqui serve apenas para ilustrar a possibilidade de que, se duas pessoas não se encontram unidas uma à outra, a realização do desejo de uma delas pode não acarretar mais que desprazer para a outra."[3] Ainda no âmbito feérico encontramos um curioso termo para se referir à varinha de condão: *Wünschelrute* (em que *rute* significa pênis), ou seja, o instrumento para realizar magicamente os desejos é literalmente o "pênisde-desejo", mostrando que a sabedoria popular identifica o desejo vinculado ao falo.

Wunschkind em alemão designa aquele que é sortudo, que nasceu empelicado: é a criança que foi desejada, um filho do desejo. E *Wunschlos* é o termo que expressa um estado de satisfação total (literalmente "sem-desejo"), de alguém que está saciado, como depois de ter comido uma lauta refeição.

O verbo *wünschen* comporta sempre um complemento, pois é um verbo transitivo, traduzido, segundo o contexto, por: desejar, aspirar, ter vontade de, querer, fazer votos. Ele pode ser usado como reflexivo para indicar o desejo de proporcionar a si mesmo um prazer pessoal. "*Sie wünschte sich zu Weihnachten eine Puppe*" (Ela desejou para si uma boneca de presente de Natal). Aqui é um *Wunsch* para si mesmo, esperando no entanto que alguém o realize.

No *Wunsch* a dimensão do Outro do endereçamento está sempre presente. Quando é designado e explicitado a alguém, ele se apresenta claramente como um pedido, uma demanda. *Ich muss ihr diesen Wunsch versagen* (Devo-lhe recusar essa demanda); *Prospekte werden auf Wunsch zugesandt* (Enviaremos os prospectos conforme os pedidos). É também o *Wunsch* que encontramos na expressão alemã equivalente a "deixar desejar" para se referir a alguém ou algo que não corresponde às expectativas. *Sein Betragen lässt noch viel zu wünschen* (Seu comportamento deixa ainda muito a desejar).

Mesmo que possa às vezes ser traduzido por desejo, segundo o contexto em português, o *Wunsch* em alemão jamais tem uma conotação de desejo sexual, cujo termo mais adequado em alemão é *Begierde* (concupiscência, cobiça, no sentido sexual). É Freud quem vai elevar o termo *Wunsch* à dignidade de uma categoria fundamental da psicanálise: o desejo inconsciente sexual infantil indestrutível. O texto da *Interpretação do sonhos* é um longo percurso de elaboração desse conceito, que o ensino de Lacan nos permite aprender a partir da distinção entre demanda e desejo, que desenvolveremos no capítulo seguinte. Neste aqui, acompanharemos os passos de Freud na especificação das características desse *Wunsch* tão inapreensível quanto logicamente definido.

O *Wunsch* no "Projeto"

Alguns meses depois do sonho de Irma (junho de 1895), Freud envia a Fliess seu "Projeto para uma psicologia" (8 de outubro de 1895), onde encontramos as principais teses que dizem respeito à teoria do *Wunschtraum*: a realização do desejo, seu caráter alucinatório e regressivo, a lógica significante do sonho e a semelhança do processo da formação do sonho com o dos sintomas neuróticos.

Antes de abordar o sonho, Freud se refere ao *Wunsch* na expressão "estados de desejo", que são resíduos deixados pelas experiências vividas que engendraram uma satisfação.[4] No caso dos afetos há uma liberação súbita da tensão quantitativa em um dos sistemas. Quanto aos desejos, não há liberação mas acumulação da tensão. "O estado de desejo, diz Freud, resulta numa atração positiva para o objeto desejado ou mais precisamente para sua imagem mnêmica." Essa atração se deve às vias trilhadas que conferem à recordação uma quantidade mais importante do que à percepção. O recalque corresponde aqui ao desinvestimento de uma imagem mnêmica hostil, ou seja, ele não é em princípio tributário do desejo. Mas quando o inconsciente se encontra tomado por um estado de desejo, se o objeto não aparece na realidade mas apenas sua recordação, toda satisfação é impossível, podendo "cair num estado de inermidade e sofrer danos". Isto significa que o aparelho psíquico (o sistema) não é capaz de distinguir entre o "objeto real e a idéia imaginária" e coloca em ação o processo de descarga. Podemos observar aqui a importância do objeto fantasístico que é o objeto que funciona na fantasia do sujeito, a qual é uma máquina de descarga de gozo (não necessariamente de prazer).

Ele distingue dois processos: o processo primário, em que a carga em desejo desemboca na alucinação e na produção do desprazer mobilizando a intervenção de todas as defesas; e o processo secundário, que torna possível um bom investimento do inconsciente e uma moderação do processo primário.

É no estado de desejo que, regida pelo princípio do prazer, será buscada a tensão ótima para-além da qual não há mais percepção nem esforço. Os estados de desejo são os que apresentam as coordenadas simbólicas de prazer — as cadeias significantes por onde rola o desejo — determinadas por *das Ding*, a Coisa, a qual jamais será encontrada.[5]

Quanto ao sonho, a realização do desejo é atribuída aos "processos primários que acompanham a experiência de satisfação" e, se o sonhador não se dá conta, é devido à fragilidade do sonho em produção de prazer e isto porque, assim como nas neuroses, há processos que mascaram para o sujeito a significação dos sonhos como realização de desejo. O que é ilustrado por Freud a partir da esquematização que propõe nesse texto do sonho de injeção de Irma.[6] Em seu esquema, há duas representações tornadas conscientes, ou seja, alucinadas no sonho (A e C), ao lado de uma representação não alucinada (D) e uma representação inconsciente (B). A representação C aparece no consciente no lugar de B, $\left(\frac{C}{B}\right)$, pois C se encontra no caminho que leva a D. B é a representação que melhor corresponde a *Wunscherfüllung*, ou seja, segundo Freud, é o significante que aponta para o desejo.

Aplicado ao sonho da injeção de Irma, temos:

A. Otto dá uma injeção a Irma de propileno

C. A fórmula da trimetilamina

D. "A doença de Irma é de origem sexual" — pensamento que surgiu ao mesmo tempo que C

B. A conversa com Fliess sobre a química sexual.

B é o "elo intermediário" — chamado por Freud de desejo (*Wunsch*) — que se produziu sem ter podido tomar uma forma qualitativa. "Tudo aquilo que é qualidade do objeto, que pode ser formulado como atributo, diz Lacan ao comentar esse texto de Freud, entra no investimento do sistema psíquico e constitui as *Vorstellungen* primitivas em torno das quais estará em jogo o destino do que é regulado segundo as leis do *Lust* e do *Unlust*, do prazer e do desprazer, naquilo que se pode chamar de as entradas primitivas do sujeito."[7] Essas representações primitivas podem ser consideradas na álgebra lacaniana como os S_1 do sujeito — significantes-mestres, primordiais, marcas do desejo.

Ao transportar o esquema do sonho de injeção de Irma para o grafo do desejo de Lacan teremos:

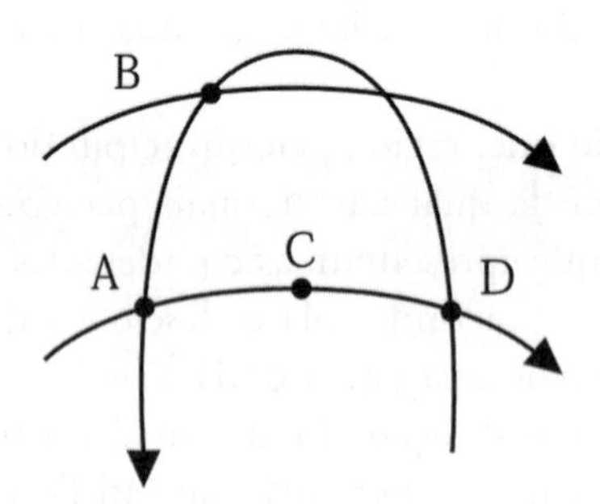

A – C – D são elementos da cadeia significante consciente do sonho e B corresponde ao significante da falta do Outro S(Ⱥ) —, que aponta para o sexual. S(Ⱥ) é a mensagem do sonho que, através do significante recalcado B, dá o selo do sexual à mola do sonho. O selo do sexual é o desejo que sua representação denota. Esse desejo, diz Freud, deve ser *inferido* — o que significa que ele não é apreensível de imediato; é somente pela interpretação do sonho que ele é discernido. "O desejo é sua interpretação", radicaliza Lacan.

Mostrando que a neurose tem o mesmo procedimento do sonho, Freud utiliza, ainda no "Projeto", ao se referir à psicopatologia da histeria, o mesmo esquema, embora simplificado, para explicar o caráter absurdo de uma representação histérica. A é a representação recalcada que dá o sentido a B, representação consciente que tem um caráter absurdo. A é o símbolo de B e Freud acrescenta que "o símbolo, neste caso, substituiu completamente a Coisa (*das Ding*)". Ele situa portanto o desejo (a realização do desejo) no lugar da Coisa, correlato do objeto perdido de gozo, que por ser inapreensível, fora do significante, pode ser apenas indicado sendo A, no caso, seu símbolo.[8]

A *Wunscherfüllung*

A grande tese de Freud na *Traumdeutung* corresponde à sua própria definição do sonho: o sonho é uma realização de desejo (*Wunscherfüllung*). De que *Wunsch* se trata nessa obra original? Freud começa usando o termo *Wunsch* de maneira bem genérica até chegar a conceitualizá-lo como desejo inconsciente, elevando portanto o *Wunsch* à categoria de conceito. Ao longo da *Interpretação dos sonhos* observamos que o *Wunsch* é uma palavra *passe-partout* servindo para designar principalmente: as aspirações pré-conscientes, o desejo de dormir (*Wunsch zu schlafen*) e também o desejo inconsciente (*Unbewuster Wunsch*). Trata-se, portanto, de um mesmo termo utilizado para categorias distintas.

Nessa obra, Freud procede e progride passo a passo no estabelecimento da teoria do sonho-desejo, tomando de início o *Wunsch* como uma aspiração da vida de vigília que não foi atendida e que é desvelada pelos pensamentos oníricos através do método de associação de idéias a partir de fragmentos do texto do sonho. O *Wunsch* que ele designa no sonho de injeção de Irma não é aqui relativo aos assuntos sexuais como o fizera no "Projeto",[9] e sim o voto de se desresponsabilizar do fracasso do tratamento dessa histérica. O sonho lhe diz: a culpa não é sua, é do Otto. Pois, como já vimos, no dia em cuja noite teve o sonho, soubera que sua paciente Irma não estava nada bem.

Freud começa, portanto, de uma maneira simples, apontando que o sujeito vai dormir pensando "Ah, como seria bom se tal coisa acontecesse" e aí dorme e sonha com a coisa realizada. Será que esse "tomara que" é da mesma ordem que o desejo inconsciente, motor do sonho? Se assim fosse, seria o pré-consciente a descoberta freudiana — o que nem seria uma descoberta. Ora, o fato de os *Wunsche* pré-conscientes se realizarem nos sonhos já havia sido aprendido há muito tempo: desde Aristóteles o sonho é considerado um pensamento continuado no sonho. Não é, na verdade, essa a descoberta de Freud.

O ensino de Lacan nos permite diferenciar, a partir do binômio demanda e desejo, que desenvolveremos no próximo capítulo, os tipos de *Wunsch* que Freud relata na sua *Interpretação dos sonhos.* Na "Abertura da Seção Clínica", Lacan diz que o sonho "diferencia de maneira, é claro, não manifesta e totalmente enigmática — basta ver o trabalho a que Freud se dá — o que é preciso chamar de uma demanda e de um desejo. O sonho demanda coisas, mas ainda aí, a língua alemã não serve a Freud, pois ele não encontra outro meio de designá-lo a não ser chamando de um voto, *Wunsch*, que está, em suma, entre demanda e desejo".[10] Isto significa que na *Interpretação dos sonhos*, ora o *Wunsch* é demanda ora desejo, ora ainda outra coisa.

A demanda do sonho

Esse voto-aspiração, que é atendido no sonho, podemos designá-lo por demanda. Isto nos permite traduzir inicialmente *Wunscherfüllung* por *atendimento da demanda,* que o próprio sonho realiza, correspondente, em termos freudianos, à realização do desejo consciente ou pré-consciente. O desejo inconsciente deste se diferencia, como veremos adiante, apesar de Freud utilizar o mesmo termo *Wunsch.*

Nesse sentido, podemos apurar no sonho a demanda que o sujeito dirige ao Outro — "Ah, tomara que..." — e o sonho como o Outro responde para o sujeito atendendo a essa demanda. Daí o sonho aparecer como uma mensagem do Outro, como uma mensagem dos deuses na interpretação dos Antigos. A tendência a divinizar o inconsciente como discurso do Outro é freqüente na tradição mística religiosa. Lá onde Freud descobre o inconsciente como alteridade radical, os religiosos do politeísmo e mesmo do monoteísmo colocam o Outro Absoluto, Deus. Essa abordagem não faz da psicanálise uma religião, pois o Outro é barrado e incompleto, o que o torna inconsistente e diverso do Deus da religião, cujas características e figuração se aproximam mais da instância do supereu. Mas o inconsciente como o Outro do sujeito pode ser interpretado, por sua transcendência e concomitante incidência na vida do sujeito, como divino, pois no fundo, *Deus é inconsciente*, que é, segundo Lacan, a verdadeira forma de ateísmo.[11] Essa outrificação do inconsciente, ou ainda, a personificação do Outro do inconsciente (os deuses) é apreendida como sinal de amor: "Sim, o Outro me ama porque responde às minhas demandas, atende aos meus pedidos." É essa demanda que os pensamentos oníricos desvelam, como a *Wunscherfüllung* de Freud no sonho da injeção de Irma. E o sonho, como todo sonho, representa essa demanda atendida — em sua encenação. Eis o "desejo pré-consciente" realizado.

A prova indiscutível da *Wunscherfüllung* são, para Freud, os sonhos das crianças em que o atendimento da demanda aparece sem disfarce, como no sonho de Anna, filha de Freud, que sonha com os objetos proibidos pela polícia sanitária doméstica. Durante a noite, a menina, driblando a interdição, dizia dormindo: "Anna Freud mo-rranga, morranga silvestres, ombleta, podim!".[12] Ao enunciar os significantes dos objetos desejados e proibidos, ela mesma aí se inclui na série como objeto a ser comido, objeto da pulsão oral. Trata-se aqui de uma série de objetos-significantes — por onde desliza o desejo, ou seja, de objeto em objeto — aqui representados como significantes de uma cadeia de objetos da demanda oral que o sonho atende.

Se Freud se detém, num momento, no aspecto de satisfação das necessidades que o sonho encena, é por extrair algo da verdade semi-dita no provérbio popular: "Com que sonham os gansos? Com milho." O que interessa porém é menos a fisiologia do mecanismo corporal do que o fato de as necessidades passarem pela linguagem para os seres falantes ao se constituírem como demanda e desejo. "Ver-se-á que talvez tivéssemos chegado a nossa teoria do significado oculto dos sonhos com a maior rapidez simplesmente seguindo o uso lingüístico."[13] O desejo é para Freud articulado nos significantes da demanda e se utiliza dos sintagmas da língua, pois, como ele mesmo ressalta, "é mais difícil saciar com um sonho uma sede real do que uma sede de vingança". Os sonhos utilizam as expressões idiomáticas da língua, gírias, trocadilhos transformados em mensagens cifradas em imagens.

O trabalho da interpretação dos sonhos consiste em passar para palavras as figuras das cenas oníricas como se decifram os rébus, as cartas enigmáticas. Freud nos revela que "o melhor exemplo de uma interpretação dos sonhos que nos chega dos antigos se baseia num trocadilho". É um exemplo narrado por Artemidoro sobre um sonho de Alexandre da Macedônia. "Julgo também que Aristander ofereceu uma interpretação das mais felizes a Alexandre da Macedônia quando havia cercado Tiro (Τυροζ) e a sitiava, mas se sentia inquieto e perturbado em vista da longa duração do sítio. Alexandre sonhou que via um sátiro (σατυροζ) dançando em seu escudo. Aconteceu que Aristander se encontrava nas vizinhanças de Tiro, a serviço do rei, durante a campanha da Síria. Dividindo a palavra relativa a sátiro em σα e Τυροζ (Tiro é tua) estimulou o rei a apertar o cerco, tornando-se este senhor da cidade".[14]

Freud chama a atenção sobre a importância da língua em que o sonho é feito e como este utiliza todas as facetas de seu cristal, tornando na verdade os sonhos intraduzíveis, mas nem por isso inexplicáveis. Os sonhos nos mostram que o inconsciente é estruturado pela língua, que Lacan, no desenvolvimento de seu ensino, elevou à categoria de conceito escrevendo-a em uma só palavra, Alíngua (*Lalangue*), termo que remete a uma anterioridade da articulação de significantes que precipita uma significação, como a lalação ou tatibitate das crianças. Alíngua é o conceito que Lacan cria para falar do efeito da linguagem no sujeito, extraído o seu efeito de sentido. Isso porque a linguagem não tem existência teórica, mas sempre intervém sob a forma de uma língua. Diz Lacan: "Conforme a maneira como a língua foi falada e também ouvida por tal ou qual sujeito em sua particularidade, é que algo em seguida sairá em seus sonhos, em todo tipo de tropeço, em todo tipo de dizer. Eis o materialismo em que reside a apreensão do inconsciente."[15]

É o que aparece no sonho de uma analisante que sonhou estar numa loja de roupas experimentando vários vestidos até encontrar um que estava perfeito, fazendo-a sentir-se linda, maravilhosa ao olhar-se no espelho. Ao pagar, surpreendeu-se em ver uma nota de dez reais em cima do balcão. Fica na dúvida se é sua, acha que não é, mas mesmo assim a pega, coloca na bolsa e vai embora. Essa nota que se encontra na interseção entre o sujeito e o Outro (anônimo no sonho) é a cifra que designa o sujeito a partir do Outro do espelho como objeto de seu desejo: ela recebe uma *nota dez*, ela é a *mulher nota dez*. Atendimento da demanda que aponta para o desejo.

Que os sonhos comportam votos e aspirações não foi nenhuma novidade. Mas dizer que *só* existem sonhos de realização de desejo (atendimento da demanda e presentificação do desejo inconsciente) é uma tese nova e chocante da qual Freud nunca abriu mão. É a partir dela que ele constitui o aparelho psíquico e, podemos dizer, a própria psicanálise. Ele eleva a *Wunscherfüllung* à categoria de lei como uma proposição geral.[16] É a lei do sonho — via régia do inconsciente — e o objetivo da análise é desvelá-la.

Quando Freud se detém na questão da deformação no sonho, ele é obrigado a definir seus dois sistemas do aparelho psíquico: um de onde se origina o *Wunsch,* e o outro que dele se defende por meio da censura deformando sua expressão, apontando assim para a divisão subjetiva em relação ao desejo. Trata-se aqui de um *Wunsch* que reside no inconsciente, onde todos os processos são submetidos ao processo primário em oposição ao processo dominante, designado por secundário, o qual tem a função de censura. O processo secundário, diz ele, é o "guardião de nossa saúde mental". Mas antes de dar toda a relevância ao desejo inconsciente, agora discernido, Freud evoca ainda um outro *Wunsch* muito particular, e no entanto universal, que não é assimilável ao voto, nem ao desejo pré-consciente e tampouco ao desejo inconsciente. Trata-se do *Wunsch zu schlafen.*

O desejo de dormir – "Quanto barulho!"

Há pelo menos um *Wunsch* que se encontra indiscutivelmente realizado a cada sonho: o desejo de dormir, pois só se sonha dormindo (o devaneio não tem o mesmo status que o sonho). Essa evidência não é tão evidente assim, pois o *Wunsch zu schlafen* não é equivalente à necessidade de repouso, mas à força pulsional desta onde se alojou o eu consciente. Esse Wunsch deve ser levado em conta como um dos motivos da constituição do sonho, pois a censura se exerce em função dele, não deixando passar senão as interpretações que se acordam com ele e não acordam quem está dormindo.[17] Cada sonho que se efetua é portanto a realização do desejo de dormir e assim todos os sonhos são sonhos de comodidade ou preguiça. O exemplo paradigmático é o do jovem médico que, ao ser acordado pela empregada, dorme em seguida e sonha que está no hospital num leito de doente. No sonho, ele diz para si: "Como já estou no hospital não há necessidade de ir para lá", e virou para o outro lado continuando a dormir.[18]

Quando há uma ameaça de despertar, é o desejo de dormir que leva o inconsciente a dar o aviso: é apenas um sonho. Ele é o vigia noturno que impede o desejo de entrar na residência do eu sobressaltando seu dono.

Se o sonho deixa aparecer o processo primário com suas leis de condensação e deslocamento é porque "o sistema dominante se retirou no desejo de dormir". Assim esse *Wunsch* acompanha sempre o desejo inconsciente no sonho e sua importância é tal que Freud chega a falar da "teoria da dupla realização do desejo", pois é graça a ele que o sonho é o guardião do sono.

Solidário do desligamento do processo secundário, mantido em *off*, o desejo de dormir mantém a realidade em suspenso para o sujeito: ele é retração narcísica. É por intermédio do desejo de morte, diz Lacan no Seminário sobre o desejo, que o desejo de dormir se satisfaz: ele é a face oculta do desejo inconsciente; ele está para Tanatos como este está para Eros. Não é por acaso que nos estados depressivos, o desejo de dormir se impõe arrancando o sujeito dos laços libidinais para jogá-lo nos braços de Morfeu e assim apagar a realidade que lhe aparece penosa, e amortecer os "choques dos quais a carne é herdeira", como diz Hamlet:

> *to die — to sleep*
> *No more, and by a sleep to say we end*
> *the heart-ache, and the thousand natural shoks*
> *that flesh is heir to.*

O desejo de dormir, nos estados depressivos, equivale à covardia moral, à tristeza como expressão do recuo do sujeito em relação ao desejo,[19] como nos ilustra Hamlet, que expressa o desejo de morrer, equivalente ao de dormir, para não levar às últimas conseqüências seu dever ético guiado pelo desejo.

O desejo de dormir expressa uma outra satisfação trazida pelo sonho/sono diferente da satisfação que o sonho encena ao representar o desejo inconsciente realizado. Trata-se da satisfação de um "retorno ao estado inanimado", como diria o Freud da segunda tópica, satisfação para-além do princípio do prazer: o gozo da quietude, do silêncio da pulsão de morte. Ele se opõe ao alarido de Eros, à vivacidade e movimentação das representações que colocam o desejo na outra cena do sonho. Refúgio para escapar ao barulho da vida erótica.

O desejo de dormir nada tem de particular, ele é "universal, invariavelmente presente e imutável".[20] Ele é o único desejo que o sonho sempre realiza: "Sonha-se para não ser obrigado a acordar, sonha-se porque se quer dormir. Tanto barulho!...".[21]

O desejo inconsciente: a sombra dos infernos

Podemos distinguir do *Wunsch* pré-consciente, cuja melhor tradução é voto (ou aspiração), que situamos no registro da demanda, o *Wunsch* inconsciente, que é, propriamente falando, o desejo tal como Lacan formulou em seu ensino. Ele é o motor do sonho, do qual retira sua força pulsional.

Embora o sonho seja o pensamento continuado no sono, o *Wunsch* não satisfeito conscientemente durante o dia não basta para promover o sonho. Freud afirma que "um *Wunsch* consciente só pode tornar-se um induzidor de sonho se obtiver sucesso em despertar um desejo inconsciente do mesmo teor e conseguir reforço dele". Acrescenta sobre isso uma observação fundamental extraída de sua experiência com os neuróticos, que o persuadiu que "esses desejos inconscientes acham-se sempre em estado de alerta, prontos a se expressar quando podem aliar-se com um impulso do consciente e transferirem sobre ele sua intensidade superior".[22] O mesmo se dá com os estímulos somáticos: o trabalho do sonho se serve das sensações somáticas (sede, fome, dor) para obter a realização de um desejo até então recalcado. "O desejo inconsciente é o capitalista que emprega os restos diurnos para efetuar o empreendimento do sonho".[23]

A análise do sonho deve ir além do desvelamento da demanda que ele atende, mas não pode deixar de passar por ela, pois o sonho utiliza os significantes da demanda presentes nos "restos diurnos" para promover a *mise-en-scène* do desejo inconsciente.

O sonho não expressa a cronologia. Esta pode ser tão-somente sugerida por meio da sucessão das representações, mostrando que o que obedece a ordem do relógio, devido ao necessário desenrolar de seus elementos no tempo, é a cadeia associativa de significantes presentificada no relato do sonho. O sonho não está no tempo cronológico: ele é como "o fogo de artifício, preparado durante horas e que se acende em um instante".[24] O tempo do sonho é o instante do olhar, como o clarão de um relâmpago que, subitamente, clareia a paisagem noturna. E o tempo do desejo é sempre o presente, pois é ativo de modo permanente e constante, mesmo quando expressa um *Wunsch* de trinta anos atrás ou mais. O desejo está sempre lá: ávido de significantes. Sua origem infantil deve ser compreendida como o fato de o desejo estar desde cedo presente, desde sempre ativo. Assim como à noite o raio *esclarece* a floresta, o sonho clareia o desejo obscuro — que no entanto permanece tão enigmático quanto a floresta espessa.

A origem infantil do desejo é calcada no mito de Édipo, introduzido pela primeira vez por Freud a respeito do sonho de morte de pessoas queridas. Essa característica significa que o Édipo como mito desvela a estruturação do desejo na medida em que é articulado com a lei. Dele decorrem dois *Wünsche*: o *Wunsch* da morte do genitor do mesmo sexo e o *Wunsch* sexual pelo do sexo oposto, que se expressavam livremente nas fantasias do "paraíso" da infância. Essas *Wunschphantasien,* que se encontram realizadas na tragédia de Édipo-o-sonho, encontram-se recalcados no drama de Hamlet-a-neurose.

A partir da realização de um *Wunsch*, pode-se descobrir outros e "sendo o último da base a realização de um desejo que data da primeira infância".[25] Que o desejo guarde o selo da primeira infância só faz acentuar suas características de proibido, inconfessável e também de indestrutível. Uma vez presente, jamais se extinguirá. O desejo só conhece a morte como as sombras do inferno na *Odisséia* que, ao beberem sangue, despertam para uma nova vida.[26] O verbo é o sangue do desejo no sonho.

A "relação do sonhador com os desejos é muito peculiar. Ele os repudia e os censura — em resumo, não quer nem saber deles —, de maneira que a sua realização não lhe dará prazer, mas exatamente o oposto ... Desse modo, o sonhador em relação a seus desejos oníricos aparece como um amálgama de duas pessoas separadas que se acham ligadas por algum importante elemento comum".[27] Eis como Freud expressa a divisão do sujeito provocada pelo desejo mostrando assim a equivalência do sujeito dividido, sujeito do inconsciente, com o próprio desejo ($ ≡ d). E Freud tenta explicar essa divisão do sujeito em relação ao desejo, como já o fizera privadamente no "Projeto ", pelo estabelecimento dos dois sistemas psíquicos: o processo primário que o admite e o processo secundário que o inibe. Os dois são regidos pelo princípio do desprazer. No processo primário, que corresponde ao funcionamento do inconsciente, só há desejo, nenhum elemento penoso — é lá onde o desejo se encontra mais despedaçado, diz Lacan. As formulações de Freud são tais que podemos admitir que o inconsciente só ex-siste graças ao desejo: "Ele é incapaz de fazer qualquer coisa que não seja desejar."[28]

Como vimos anteriormente, Freud introduz esses dois sistemas ou instâncias a propósito da deformação (*Einstellung*) do sonho: "uma constrói o desejo expresso no sonho, a outra o censura e em seguida deforma a expressão desse desejo". Assim, todo sonho é expressão de desejo — mesmo os que provocam desprazer —, pois trata-se de um desejo da primeira instância mesmo que esta realização desagrade à segunda provocando o desprazer. Daí surge o recalque (cujo modelo é a fuga diante da recordação da dor), e o segundo sistema só pode investir uma representação quando é capaz de inibir o desenvolvimento do desprazer que pode sobrevir. Por que os processos secundários não conseguem dominar os primários? Freud o explica pelo fato de que estes últimos já estão dados desde o início, ao passo que aqueles foram se constituindo pouco a pouco no decorrer da vida.[29]

É com o objetivo de driblar a censura (ao mesmo tempo que a respeita por reconhecê-la) que o sonho efetua seu trabalho significante para realizar o desejo (trabalho caracterizado como *coação*), e todos os processos psíquicos deverão aceitá-los para sempre, pois "no inconsciente nada pode ser interrompido, nada fica para trás ou é esquecido".[30] Se no inconsciente nada se perde, os fenômenos pré-conscientes, em contraposição, são destrutíveis e é nessa diferença que repousa a psicanálise. Isto se deve ao fato de o inconsciente ser constituído pelo simbólico da linguagem, que não se extingue, e o pré-consciente pelo registro do imaginário, cujas formações se compõem, e recompõem, se formam e esvaem por não serem determinantes, e sim determinadas pelas cadeias simbólicas significantes do inconsciente. Freud insiste, portanto, que a psicanálise lida com as cadeias simbólicas do inconsciente e não com o imaginário do pré-consciente, como o faz a psicologia.

Estando a serviço do inconsciente e do pré-consciente, na medida em que tem de realizar um *Wunsch* de cada, o sonho é um compromisso, tal como o sintoma neurótico. Da mesma forma, este também é *Wunscherfüllung*. Mas quando o pré-consciente deixa passar demais o desejo, esse compromisso fracassa e o sujeito desperta. Quando o indivíduo é acordado por um sonho, ou bem ele acorda para adormecer o desejo ou bem a encenação do desejo é tão insuportável que ele é despertado pela angústia. Freud poderia ter sido acordado pela imagem terrível da garganta de Irma cheia de placas purulentas que apareceu em seu sonho, mas o sonho continuou até a fórmula da trimetilamina, indo para além do ponto de angústia.

Para Freud, o destino do desejo inconsciente é o dos Titãs, que "foram esmagados desde as eras primitivas pelo peso maciço das montanhas que um dia lhes foram arremessadas em cima pelos deuses vitoriosos e que ainda são abalados de tempos em tempos pela convulsão de seus membros".[31] Essa metáfora permite apreender o caráter de impossível, de audácia, de escândalo do desejo pois os Titãs foram punidos por tentar escalar até o céu, morada dos deuses. É esse desejo que se manifesta nos terremotos que assolam corpos e mentes. *Desejo* é justamente o nome daquilo que os antigos qualificavam de o demoníaco, o indomável na alma. O respeito que eles tinham pelos sonhos era, segundo Freud, devido à consideração pelo "poder demoníaco que produz o desejo onírico e que encontramos em ação no nosso inconsciente".[32]

A Outra cena

A *Traumdeutung* é sem dúvida um tratado da lógica do significante ou, nos termos freudianos, o tratado das "relações lógicas multiformes" do sonho-rébus.[33] O sonho não é da ordem do símbolo, que, por definição, representa algo que tem um sentido universal, como a balança que é o símbolo da justiça. O sonho como via régia do inconsciente tem uma sintaxe equívoca na medida em que aí se encontra "uma forma de palavra que, devido à sua ambigüidade, é capaz de dar expressão a mais de um dos pensamentos oníricos".[34] Verificamos aqui a propriedade de equivocidade do significante que denota seu duplo, ou melhor, múltiplo pertencimento a mais de uma cadeia significante. A prevalência dessa propriedade na constituição do sonho só é possível devido à primazia do significante sobre o significado no inconsciente, pois, como Freud constata, uma palavra, além de seu significado usual, "combina grande número de outros significados aos quais se acha relacionada da mesmíssima forma que estaria uma palavra sem sentido".[35] Isso se observa claramente no tratamento que o sonho dá ao nome próprio, utilizando por exemplo "uma Matilde por outra" ou tratando o nome próprio como nome comum. É o que verificamos no caso de um sujeito que andava deprimido, no extravio de seu desejo, lamentando-se permanentemente da vida. Um dia ele traz um sonho que lhe pareceu completamente obscuro em que havia apenas uma cena: ele era pequeno e caminhava com sua mãe em uma rua de sua cidade da infância. O sonho se esclareceu ao lembrar do nome da rua: Dias da Cruz. Ao se escutar, não pôde deixar de rir e comparar suas lamentações com as de sua mãe, que vivia reclamando de seus dias como quem carregava uma cruz. As leis dessa lógica combinatória são impostas ao *Umbewuste Wunsch* que impele os significantes a representá-lo no sonho: a superposição de significantes da metáfora, equivalente à condensação das imagens oníricas, e o deslizamento significante da metonímia, que corresponde à sucessão das imagens que confere ao sonho seu aspecto cinematográfico em seu desenrolar de cenas. A ciência do sonho é a "química silábica".

E quais são esses "desejos inconscientes"? Freud dá de cada sonho analisado o *Wunsch* que o formou. Não é o que falta. Mas serão eles o desejo (no singular) inconsciente e indestrutível do qual fala Freud na última frase da *Traumundeutung*? Votos de morte do pai, mania de grandeza, aspiração a ser aliviado da culpa são alguns exemplos freudianos de *Wunsch* recalcado que se encontra explicitamente na infância. Não obstante, sua concepção dos procedimentos do sonho que fazem o desejo inconsciente passar pelos desfilamentos do significante nos dificulta pinçar esse desejo. "A conseqüência do deslocamento é que o conteúdo do sonho não mais se assemelha ao núcleo dos pensamentos do sonho, e que este não apresenta mais que uma deformação do desejo do sonho que existe no inconsciente."[36] Não temos portanto acesso ao desejo inconsciente, pois ele não é figurado no sonho; este pode tão-somente indicar sua *ex-sistência*, termo que melhor traduz, segundo Lacan, a *Enstellung* (traduzido por deformação) pois é ela que faz existir a insistência do desejo e que mostra a insistência de desejo em sua existência. O desejo inconsciente não pode ser nomeado enquanto tal, não pode ser designado, só inferido. Ele é *desejo* — sem qualificativos, sem atribuições, sem dono, sem nome. O sonho só faz encená-lo, e seu relato com suas associações mostra por quais significantes circula.

A *Wunscherfüllung* do sonho significa *a encenação do desejo*, sempre sedento de significantes, sempre de tocaia na língua. Nessa expressão, *füllung* pode ser traduzido literalmente por "preenchimento", e *Wunsch* por "falta", significando assim que o sonho preenche com significantes a falta constitutiva do desejo. A "solução" (*Lösung*) do sonho de injeção de Irma é uma solução de química silábica, como aponta a cena final em que aparece a pura fórmula da trimetilamina (que tem cheiro da amônia contida na composição do esperma).

O sonho é tão espirituoso quanto os chistes, como no sonho da nota dez e também no sonho do menino que sonha estar perdido na floresta e cuja origem edipiana de seu desejo aparece no nome da mãe Flora — a qual ele torna presente (*Flor'está*) e designa (*Flor'esta*).

Para que um sonho se constitua, há necessidade de *transferência*: processo de deslocamento de investimento das representações recalcadas para aquelas presentes nos restos diurnos, as quais são indiferentes ao eu. Essas "não apenas tomam emprestado ao inconsciente ... a força pulsional da qual dispõe o desejo recalcado, mas ainda oferecem ao inconsciente algo: o ponto de ligação necessário para realizar a transferência".[37] O método da interpretação dos sonhos permite restituir as representações em que o desejo se fixou, o qual se expressa, no final, por um *Wunsch* da primeira infância. "O desejo inconsciente, diz Freud, trilhou uma via até os restos diurnos e realizou sobre eles uma transferência. Um desejo transferido sobre o material recente aparece ou então um desejo recente recalcado se reanima retomando forças no inconsciente."[38]

É interessante notar que o conceito de transferência na análise designando a relação do analisante com o analista encontra, na descrição de Freud da formação dos sonhos, sua fundamentação no desejo inconsciente transferido de uma representação à outra. O desejo inconsciente do analisante trilha uma via até os significantes que ele encontrou naquele analista. O significante da transferência do lado do analisante se liga a um significante qualquer do lado do analista por intermédio do desejo ($S_t \xrightarrow{d} S_q$).

Freud reserva, na *Traumdeutung*, um papel e uma importância notáveis a certos significantes: as representações-meta (*Zielvorstellung*). Trata-se de significantes responsáveis pela determinação da cadeia associativa, fazendo-a dobrar-se à exigência de fazer passar o desejo, sempre pronto para se expressar. As *Zielvorstellungen*, "estão à espreita em nossos pré-conscientes, elas jorram de nossos desejos inconscientes sempre ativos. Essas representações podem se prender a uma excitação vinculada à esfera de pensamentos ..., e farão a ligação entre esses e um desejo inconsciente transferindo sobre eles a energia própria a esse desejo."[39] As representações-meta são portanto significantes que significam o desejo, que podemos designar como significantes do desejo,[40] tal como o caviar no sonho da Bela Açougueira que transfere ao significante "salmão", presente no sonho, sua intensidade psíquica. O desejo é o responsável por essa operação, de transferência de significante a significante, sendo inclusive definido por Lacan como "pura ação do significante".[41] As *Zielvorstellungen* são responsáveis pela passagem de uma representação pré-consciente ao inconsciente, transferência que confere ao desejo sua particularidade de trilhamento das associações, que é, propriamente falando, a metonímia.

A condensação no sonho, sua lei de metaforização, que lhe confere um efeito de sentido, dá ao conteúdo representativo uma intensidade que Freud faz equivaler a uma palavra em itálico ou em negrito em um texto, ou que, "ao falar, pronuncio a mesma palavra em voz alta lentamente e com uma ênfase especial.[42] A ênfase e o negrito ou o itálico correspondem à enunciação na fala e na escrita respectivamente, sendo aí nesses significantes assim marcados que está a manifestação de desejo, o qual se encontra portanto menos no enunciado do que na enunciação; ele é o próprio efeito de sentido do sonho. *Desejo* — eis o único sentido do sonho e cujo enunciado por ser qualquer um que o desejo trilhe. O sonho significa o desejo que é inarticulável, embora articulado.

Mas nem tudo é significante, pois há uma falta no Outro do inconsciente que Freud designa como *umbigo do sonho*: lugar insondável e inefável na trama significante de onde surge o desejo. "*Jeder Traum hat mindestens eine Stelle, an welcher er unergründlich ist, gleichsam einen Nabel, durch den er mit dem Unerkannten zusammenhängt*".[43] Traduzindo: todo sonho possui pelo menos um trecho — ou uma passagem, considerando o sonho como um texto — que é insondável (impenetrável), por assim dizer um umbigo, por meio do qual ele está em contato com o desconhecido (o não-reconhecível). O desejo desliza pelos significantes que volteiam esse furo na trama do inconsciente, o qual podemos escrever com o matema S(Ⱥ), vazio de representações, recoberto por uma cena de gozo.

Que o desejo inconsciente seja estruturado pela falta é o que Freud demonstra nas etapas lógicas de sua constituição a partir da primeira experiência hipotética de satisfação. Do objeto de gozo, o seio, de uma vez por todas perdido, restará um traço mnêmico que será investido quando houver uma impulsão (*Regung*) psíquica. O movimento de reinvestimento do traço mnêmico do objeto perdido reconstitui a situação original por meio de uma alucinação.

"É esse movimento que chamamos desejo", e o reaparecimento da percepção é "a realização do desejo".[44] O desejo é o vetor que indica a direção do processo alucinatório do sonho, vetor que aponta a *Vorstellung* que deve aparecer em cena. Trata-se aí da característica do processo primário que visa a busca do objeto a ser reencontrado pela via de um significante evocado: o desejo acende a representação tornando-a visível para o sonhador, fazendo-o assim alucinar o objeto. A alucinação, protótipo do sonho, apresenta a característica do processo primário, que é a identidade de percepção (a representação aparece lá onde o objeto falta) por oposição à identidade de pensamento típica do processo secundário. O objeto de gozo está para sempre perdido e em seu lugar há um furo que causa o desejo, rodeado pelos traços que se tornaram sua representação. "Uma corrente deste tipo no aparelho começando do desprazer e visando o prazer foi por nós denominada de desejo, e afirmamos que somente um desejo é capaz de colocar o aparelho em movimento."[45] Essa afirmação mostra que o desejo é esse vetor que vai do vazio do objeto à satisfação verbal ([ ] → S) graças ao aparelho significante que o representará em sonho.

O desejo é, portanto, correlativo à falta, a essa impossibilidade de atingir o objeto real, objeto que é, ele mesmo, a metonímia dessa falta. Freud propõe considerar que o caminho que leva à alucinação tenha realmente sido percorrido na remota infância. O "primeiro desejo parece ter sido um investimento alucinatório da lembrança de satisfação".[46] É baseado no modelo da regressão temporal (de volta ao passado), formal (de volta ao modo de funcionamento primitivo de expressão) e tópico (investimento da imagem) que Freud explica o caráter visual da máquina de sonhar.

A realização do *Wunsch* é a encenação da representação recalcada, mascarada pelo trabalho do sonho; a realização do desejo se efetua no plano escópico: o "isso mostra" do sonho. Trata-se aqui da função do olhar como objeto *a* no campo escópico, na medida em que ele é invisível mas revestido pelos significantes no sonho, o que confere a estes significantes o caráter de "visibilidade", de figurabilidade, como aparecem nas cenas oníricas.[47] Assim como o itálico ou negrito, Freud encontra no sonho uma clara indicação escópica do desejo. "Na maior parte dos sonhos é possível descobrir um ponto central que é assinalado por uma peculiar intensidade sensorial. Este ponto é, em regra, a representação direta da realização do desejo."[48] A *Wunscherfüllung* pode ser aqui compreendida como a *encenação escópica do desejo*: satisfação da *Schautrieb*. A "intensidade particular" do centro do sonho aponta a presença do gozo escópico promovido pelo objeto olhar. Para além do aspecto imaginário, que lhe empresta seu caráter cênico e cinematográfico, o sonho, como toda formação do inconsciente, produz gozo — é o gozo do espetáculo. A Outra cena é o palco da satisfação escópica. *Der andere Schauplatz ist Platz der Schaulust.*

O falo e o desejo do Outro

O método analítico de interpretação dos sonhos (há outros, como Freud aponta) caracteriza-se pela restituição dos significantes recalcados para fazer chegar a mensagem da qual o sonho é portador. Há, no entanto, sonhos cuja mensagem, para ser decifrada, não necessita das associações do sonhador: os sonhos típicos, que podem ser interpretados, segundo Freud, a partir do método simbólico (distinto do analítico). Isto pode parecer um contra-senso, pois vai a contracorrente de tudo o que Freud vinha afirmando. Ao examinarmos de perto, verificamos que todos os exemplos de sonhos típicos, que Freud apresenta, trazem uma só mensagem: é sexual. Assim, o chapéu representa o órgão genital masculino; ser esmagado simboliza as relações sexuais; subir uma escada, o coito; roubar equivale a observar relações sexuais; fazer uma prova significa masturbação etc.

O simbolismo freudiano tem uma chave que é o *falo*: significante que não só designa em seu conjunto os efeitos de significação, como também faz a conjunção do *logos* com o sexual. O método simbólico de Freud não se opõe a seu método analítico, apenas comprova o selo do sexual presente em todo sonho. O sexual é a mensagem do sonho que vem no lugar de S(Ⱥ), encobrindo a falta com cenas de gozo que trazem os *Wünsche* infantis.

Em numerosos sonhos analisados, Freud extrai dois *Wünsche*: o primeiro é uma aspiração (demanda) que os restos diurnos revelam, e o segundo é, propriamente falando, o desejo, quase invariavelmente vinculado a representações sexuais. No sonho do cavalo cinza, por exemplo, Freud discerne um primeiro *Wunsch*: "não quero ter furúnculo", que é perfeitamente pré-consciente, pois na época ele tinha um bem grande na região inguinal. Mas isso não basta, e Freud é levado a efetuar "uma análise mais profunda", verificando então a presença de "pensamentos sexuais", pois a partir da decomposição significante ele descobre que certos elementos do sonho são provenientes de suas viagens *rumo à Itália,* que, em alemão, é *gen*Italia.

É a propósito do sonho da bela açougueira que Freud introduz na *Traumdeutung* o tema da *identificação*. Como os outros, esse sonho comporta dois *Wünsche*. O primeiro é "não contribuir para tornar mais bela a amiga": o sonho encena o fracasso da demanda da amiga de vir jantar na casa dos açougueiros, frustrando assim seu *Wunsch* de engordar. Assim, o sonho atende à demanda da sonhadora, a bela açougueira, de conservar o interesse de seu marido por ela ao não engordar a amiga recusando-lhe o jantar, pois o marido só gosta de mulheres gorduchas. Esse *Wunsch*, que o sonho realiza, expressa de forma respondida e satisfatória a demanda de amor endereçada ao Outro. Esse primeiro *Wunsch* é portanto uma demanda de amor que se manifesta por intermédio da pulsão oral ($ ◊ D).

O segundo *Wunsch*, o desejo inconsciente, é o *desejo de desejo insatisfeito* que encontra sua expressão, na vida dessa histérica espirituosa, no desejo de caviar que ela insiste em manter insatisfeito, proibindo seu marido de lhe presentear com caviar. É pela via da identificação que esse desejo se introduz no sonho na substituição do caviar pelo salmão, em relação ao qual a amiga tem exatamente a mesma atitude que a bela açougueira, ou seja, ela deseja sem querer realizá-lo. Trata-se, portanto, de uma identificação pelo significante que confere uma expressão ao desejo inconsciente, ilustrando que é fundamentalmente por meio do significante que o desejo do homem é o desejo do Outro. Uma outra identificação, no caso dessa histérica, nos mostra o alcance da fórmula consagrada de Lacan sobre o desejo definido pela insatisfação. A bela açougueira coloca também a questão sobre um desejo insatisfeito de seu marido que ela, bem perspicaz, percebeu. "Se ele só gosta de gordinhas, como foi interessar-se por essa amiga que é magérrima?" Deixar a amiga magra, recusando-lhe o jantar, é uma forma de manter, ao identificar-se com o marido, esse desejo insatisfeito. Eis aí uma ilustração da identificação da histeria com o homem: uma forma de ela bancar o homem.[49] A identificação é, na *Interpretação dos sonhos*, equivalente à metáfora, ou seja, uma substituição significante que serve à figuração das coisas em comum e de uma coisa comum "que só se faz desejar".[50] A identificação pelo desejo será definida por Freud como característica de identificação histérica em seu texto sobre a psicologia das massas e por Lacan como a característica do próprio desejo humano.

Em um exemplo de sonho absurdo, Freud também faz referência à identificação. Trata-se do conhecido sonho, amplamente comentado por Lacan, do pai recentemente morto em que este aparece vivo no sonho do filho sem saber que já estava morto. Para Freud, nesses sonhos de pessoas mortas, "quando no sonho não é lembrado que o morto está morto, é porque o próprio sonhador se identifica com o morto: ele sonha com a própria morte. E quando se pensa bruscamente com surpresa: "ora, ele já morreu há muito tempo", está-se repudiando essa identificação e negando que o sonho significa sua própria morte".[51] Essa identificação com o pai morto, em que o sujeito ele mesmo banca o morto, é característico do neurótico obsessivo que cauciona a morte do Outro. Mas, mais do que isso, trata-se do desejo de não acordar para a mensagem à qual o sonho leva o sujeito a se confrontar: a castração.

O pesadelo: um fracasso do sonho

Só há sonho de desprazer (*Unlusttraum*) quando há desacordo entre o recalcado e o eu, e o desejo serve-se de restos diurnos penosos para se expressar. Todo sonho de angústia tem para Freud a mesma significação de um sintoma neurótico devido à sua origem sexual. A angústia, em sua teoria de época, apresenta duas fontes: as excitações sexuais e os pontos somáticos (doenças), que, na verdade, são dois aspectos que apontam para o real não simbolizado. Mas o sonho só utiliza as fontes somáticas quando estas se assimilam facilmente ao conteúdo representativo de sua fonte psíquica. O que o faz chegar, a partir de sua experiência com neuróticos, à formulação de que a única origem da angústia é sexual e, na segunda tópica, de que toda angústia é angústia de castração.

O pesadelo é a testemunha de acusação contra a teoria do sonho-desejo. Mas Freud a defende demonstrando que os *Unlusttraums* e os pesadelos não a contrariam, pois nada mais são do que a realização do desejo inconsciente que, driblando a censura, faz passar as representações contrárias ao eu em que ele se fixou. É o que podemos verificar no sonho de Freud, em seus sete a oito anos, do qual acordou banhado em lágrimas e angústia. "O sonho mostrava minha querida mãe, com uma expressão particularmente tranqüila e adormecida, sendo levada para seu quarto e colocada sobre a cama por duas (ou três) personagens que tinham bicos de pássaros." Esses personagens foram extraídos da bíblia de *Philippson*, significante que o fez associar *Philippe*, nome do menino que lhe ensinara o palavrão *vögeln* ("foder"), que é figurado no sonho pela multiplicação de pássaros (*vögeln*). "Minha angústia, efeito do recalque, pode ser atribuída a um desejo obscuro, manifestamente sexual, que tão bem expressa o conteúdo visual do sonho."

O sonho não é mais um compromisso se para efetuar essa realização ele perturba o sono provocando o fracasso do sonho como seu guardião. O "livre curso das representações inconscientes desde o recalque traz a marca do desprazer ... o perigo é que as excitações inconscientes possam liberar afeto de uma espécie que só pode ser experimentada como desprazer, como angústia".[52] O sujeito, ao ver seu desejo realizado no sonho, desperta com angústia. Porém, o desejo realizado, na verdade, não é mais desejo, o qual por definição é falta e, por isso defesa contra o gozo. A sua realização de desejo não é mais desejo, e sim gozo.

O pesadelo se refere ao encontro traumático com o gozo do Outro que tende a fazer do sujeito seu objeto. Lacan, no seminário da *Angústia*, lição V, partindo do termo *incubus*, que designa "pesadelo" em latim, o compara a um gozo estrangeiro como o do íncubo ou o súcubo, demônios masculino e feminino que, na concepção da demonologia, são os demônios que possuíam os corpos das pessoas durante o sono para "gozar dos prazeres do amor ou transportá-los para o *sabat*", segundo o dicionário *Littré*. O pesadelo, como gozo do Outro demoníaco, é a prova de que a realização do desejo, longe de ser fonte de prazer, se situa para-além, onde reina a pulsão de morte.

Capítulo IV
Demanda e desejo

Todas as coisas deste lugar já estão comprometidas com aves.
Aqui, se o horizonte enrubesce um pouco, os besouros pensam que estão no incêndio.
Quando o rio está começando um peixe,
Ele me coisa
Ele me rã
Ele me árvore.
De tarde um velho tocará sua flauta para inverter os ocasos

"Mundo pequeno", M.B.

O postulado fundamental da psicanálise diz que a estrutura do sujeito se organiza a partir de um furo. Esse furo organizador na estrutura é correlato ao conceito do objeto perdido, o que implica que aquilo que poderia dar satisfação ao sujeito é perdido desde sempre como condição necessária ao desejo, que por definição é insatisfeito. Retomemos a descrição já comentada de Freud da experiência de satisfação que se encontra no subcapítulo chamado "Realização de desejo", da *Interpretação dos sonhos,* e façamos uma leitura a partir do ensino de Lacan, como introdução ao binômio *demanda e desejo.*[1]

O elemento essencial da experiência de satisfação é o aparecimento de uma certa percepção — o alimento, no exemplo escolhido — cuja imagem mnêmica permanecerá associada com o traço mnêmico da excitação da necessidade. Temos aí a situação do neném com fome e que se depara com o objeto que vai satisfazer essa necessidade. Freud não utiliza o termo objeto e sim "percepção", indicando que há um "objeto" que entra no espaço "perceptivo" do sujeito, visual e táctil, e que essa impressão constituirá o traço da presença desse objeto. Este traço permanece associado ao traço da fome, excitação de necessidade. Eis o que resta da primeira experiência de satisfação. Na segunda, e em todas as outras daí em diante, a partir do momento em que a necessidade se reapresentar, haverá uma conexão, graças à relação previamente estabelecida, entre o traço da necessidade, a fome, e o traço perceptivo do objeto que trouxe essa satisfação. Graças ao restabelecimento dessa relação, há um desencadeamento de uma impulsão psíquica que vai investir de novo a imagem mnêmica do traço do objeto. Esse reinvestimento provoca uma nova percepção — a alucinação satisfatória de desejo —, reconstituindo a situação da primeira satisfação. Observamos que é indiferente para Freud se o sujeito alucina essa percepção ou se o próprio objeto da satisfação está presente. De toda forma, é o reinvestimento dessa imagem mnêmica do objeto que reconstituirá a situação da primeira satisfação. Esse movimento é o desejo. Em suma, o desejo é o vetor que se desloca de um significante (S_1), representado pelo traço da excitação da necessidade de comer (a fome), para outro significante (S_2), representado pelo traço do objeto que a satisfaz (o seio): $S_1 \xrightarrow{d} S_2$.

Para abordarmos a questão da demanda precisamos introduzir a mãe como o Outro provedor, o Outro que traz o objeto que satisfaz a necessidade. Para que isto ocorra é necessário que esse Outro provedor dê uma significação ao grito daquele ser que está ali, ser vivente, que se agita e grita com fome, ou seja, excitado pela necessidade de comer. É preciso que a esse grito seja atribuído a significação de um apelo, de um pedido, transformando a necessidade que se expressa no grito em uma demanda. Na situação da experiência de satisfação, o grito do bebê é interpretado pelo Outro como uma demanda de satisfação: a mãe o escuta como uma demanda dirigida a ela, para efetivar o que Freud designa no "Projeto" como a "ação específica": trazer o objeto de satisfação. Temos aí, nesse exemplo paradigmático da experiência de satisfação, o binômio proposto por Lacan de demanda e desejo. A demanda está nesse apelo (grito interpretado como dirigido ao Outro da assistência) que o sujeito faz em busca de um complemento que é o objeto que pode satisfazê-lo. E nessa demanda se desenrola o desejo. Na demanda há sempre pedido de restituição de um *status quo ante*, de um estado anterior de complementação que o sujeito supõe existir ou ter existido. E o desejo? O desejo é justamente a busca, a procura daquele objeto suposto da primeira experiência fictícia de satisfação, que nunca existiu mas é um postulado necessário a Freud para constituir o *objeto* como faltante e sua conseqüente busca da parte do sujeito. O desejo é a busca do objeto perdido, a demanda é o pedido de satisfação do *status quo ante*.

Necessidade e demanda

Qual a diferença entre demanda e necessidade?

A necessidade tem sempre um objeto que a satisfaz, como o alimento para a fome. Precisar comer, evacuar, respirar se situa no registro da etologia. A necessidade se encontra do lado do animal, lá onde entre o indivíduo e o meio não há uma solução de continuidade e sim acoplamento entre o vivente e o seu meio. O animal encontra os seus objetos na própria natureza, o que não é o caso para os seres falantes. Basta que se enuncie "preciso de ar", para que uma outra dimensão apareça, a dimensão do Outro. Aí não estamos mais no registro da necessidade, mas no registro da demanda. Pelo simples fato de enunciar isso, mesmo que os enunciados se refiram a necessidade, a dimensão do Outro já aparece. Como? Em primeiro lugar, o simples fato de tomar a palavra faz surgir o Outro da fala, pois nunca há concordância total entre o que se intenciona dizer e o que se diz. A fala faz surgir a alteridade e o descentramento do sujeito. Ao tomar a palavra, é o sujeito que é tomado por ela na medida em que sofre sua incidência ao se escutar falando. Há um Outro que fala através de mim fazendo-me tropeçar nas palavras e dizer coisas que não tinha a intenção de dizer. Em segundo lugar, por ser a fala sempre dirigida ao Outro (mesmo quando se fala sozinho). Quando se escuta alguém dizendo "preciso de ar", não é necessário ser analista para se perceber que há nesse enunciado uma demanda implícita, que pode ser de cuidados médicos, de que se ventile o ambiente ou demanda de atenção.

O enunciado é a própria dimensão da demanda, a qual não visa a um objeto, e sim ao Outro a quem dirijo minha fala: ela é um apelo ao Outro. O que caracteriza a demanda não é apenas a relação de um sujeito com outro sujeito, mas o fato de que essa relação se dá por intermédio da linguagem através do sistema de significantes. Isso leva Lacan a identificar a cadeia de significantes à demanda; assim, conseqüentemente, toda fala é uma demanda.

A demanda se encontra em tudo que o analisante diz, quaisquer que sejam seus ditos eles tomam a forma de uma demanda.[2] A demanda é portanto a própria cadeia de significantes que se dirige ao Outro, como o lugar de significantes (A), o lugar do código, de onde virá a resposta trazendo ao sujeito sua própria mensagem de forma invertida, sob a forma de significado do Outro (s(A)), como verificamos no grafo do desejo. Ao situar o analista no lugar do Outro, o analisante, com sua fala-demanda, espera dele receber a interpretação que diga o sentido do que ele está dizendo. A fala do analisante é, em si, demanda de interpretação, demanda de sentido.

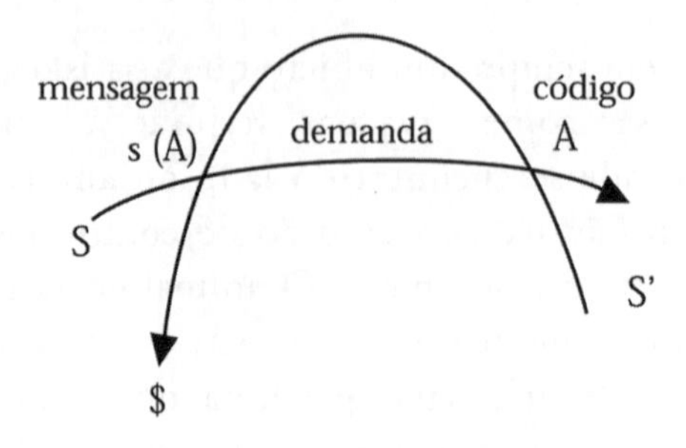

O sujeito vive num mundo em que suas necessidades são reduzidas ao valor de troca. O seio e o excremento como objetos de necessidade entram no jogo da linguagem não como objetos e sim como significantes: eles são "objetos significantes". Mas nem tudo está dentro dos significantes: o que está "alienado das necessidades, constitui uma *Urverdrängung* (recalque originário), por não poder, hipoteticamente articular-se na demanda, aparecendo, porém, num rebento, que é aquilo que se apresenta no homem com o desejo (*das Begehren*)".[3] Temos aqui a indicação de que o desejo está fora do significante. E Lacan dá a seguinte imagem dessa relação: "o desejo se esboça na margem onde a demanda se rasga da necessidade".[4] A partir daí podemos escrever a seguinte fórmula: *(N – D = d). O desejo é o resto da operação de subtração da demanda à necessidade.*

Apesar de não se inscrever no significante, o desejo só pode ser inferido a partir da demanda, que se manifesta em cada fala. A demanda, na medida em que é constituída pelos significantes emitidos pelo sujeito, tem apenas um significado: o desejo, que é causado pelo objeto *a*. Trata-se do desejo como vetor, que se presentifica articulado através dos significantes da demanda. Assim, a demanda está para o enunciado como o desejo está para a enunciação (D/d ≡ E/e). O enunciado de uma fala é da ordem da demanda, mas é em sua enunciação, na modalização do dito, sua entonação, suas pausas, sua cadência, sua rapidez ou sua lentidão, na ênfase ou na elipse de suas palavras que rola o desejo. "É como que em derivação da cadeia significante que corre o regato do desejo."[5] É ai, no campo do desejo, que se situa para o homem e para a mulher a relação sexual, pelo enigma que ela suscita — enigma do desejo que o sujeito tenta em vão resolver com o retorno à demanda como demanda de amor.

O desejo do Outro

Abordemos o conceito de desejo a partir de um dos grandes aforismos de Lacan: o desejo do homem é o desejo do Outro.

Que o desejo do homem seja constituído, formado a partir e através do desejo do Outro, é um tema hegeliano que Lacan tomou emprestado da leitura de Kojève da *Fenomenologia do espírito*, sobretudo da dialética do senhor e do escravo. De janeiro de 1933 a maio de 1939, Kojève fez um seminário na École Pratique des Hautes Études ao qual Lacan assistiu, tendo sido marcado por essa leitura no que diz respeito à teoria do desejo, mas não só. Retomando algumas teses hegelianas, Lacan as trouxe para a teoria psicanalítica, fazendo surtir vários efeitos de significação que a renovaram. Uma dessas teses é bem conhecida: "a palavra é o assassinato da coisa", que se encontra na origem de uma das bases lingüísticas da teoria lacaniana, ou seja, a de que a incidência do significante faz a coisa desaparecer. Isso não quer dizer que o significante não evoque toda a dimensão da coisa, pois, como Lacan diz no Seminário 1, basta falar "elefantes" para que eles apareçam. Isso confere ao significante a propriedade de constituir a presença sobre o fundo de ausência, ou seja, de ser uma presença ausente e uma ausência presente como a carta roubada do conto de Edgar Allan Poe. Encontramos também essa tese na concepção lacaniana da transformação da necessidade em valor de troca, dentro do registro da demanda. Trata-se da modificação que o significante impõe à sua vida, numerando-a.[6]

Outra tese hegeliana que concerne a nosso tema é justamente sobre a questão do desejo: o desejo do homem é o desejo do outro. Este desejo é formulado inicialmente em termos de desejo de reconhecimento pelo outro na dialética do senhor e do escravo. Trata-se de um apólogo construído por Hegel para ilustrar como o homem, definido pela consciência que tem de si mesmo, se constitui; como é estabelecida a dissimetria entre o senhor e o escravo; e como se daria a saída dessa situação. Vamos abordar apenas a primeira parte da dialética para apreender a constituição do desejo do homem a partir do desejo do outro que é aqui seu semelhante, seu igual e também seu rival mortal.

A dependência do sujeito em relação ao outro encontra-se desde a primeira frase da dialética do senhor e do escravo que, de fato, se chama "Independência e dependência da consciência de si; dominação e servidão". Ei-la: "A consciência de si é em si e é para si, quando e porque ela é em si e para si para uma outra consciência de si, isto é, ela só existe (ou é) enquanto ser reconhecido."[7] Mas por que uma coisa, um objeto, não é suficiente para constituir uma consciência de si? Por que ela precisa de uma outra consciência de si que a reconheça? Vejamos o desenvolvimento de Hegel associado ao comentário de Kojève.

O homem contemplando uma coisa, um objeto, é absorvido pela coisa e se esquece, ele não pensa nem em seu ato de contemplar nem em seu eu.

Ele pensa na coisa e não está aí para dizer "eu", pois a contemplação revela o objeto, mas não o próprio sujeito. O que chama o sujeito a si mesmo, fazendo-o sair dessa contemplação, é o desejo que, para Hegel, é um desejo consciente que lhe permite designar-se como um sujeito dentro desse ato de contemplação da coisa.

Quanto ao animal, o que Hegel chama de desejo animal, é algo que equivale à necessidade, na medida em que o desejo animal é o desejo da coisa, conferindo-lhe o sentimento de si. O desejo da coisa é necessário, mas não suficiente para constituir o que é propriamente humano, que não é o sentimento de si, mas a consciência de si. O eu animal tem o desejo imediato da coisa e este o leva a satisfazê-lo pela negação da própria coisa; ele nega a coisa destruindo-a, por exemplo comendo-a. O desejo, para que seja humano, deve incidir sobre um objeto que não seja um objeto natural, e sim um objeto que ultrapasse a realidade dada. Ora, segundo Hegel, a única coisa que ultrapassa a realidade humana é o desejo, pois o desejo, antes mesmo da satisfação, é um vazio, um vazio irreal, um nada revelado.

O desejo humano, para se constituir enquanto tal, é um desejo que incide sobre um desejo. O desejo animal incide sobre um objeto, sobre a coisa, e o desejo humano incide sobre um outro desejo. *É um desejo de desejo.* O desejo que incide de forma imediata sobre um objeto natural só se torna humano quando é mediatizado pelo desejo do outro. Tanto o desejo animal quanto o desejo humano tendem a se satisfazer, porém o desejo humano se nutre de desejos e o desejo animal de objetos da realidade. Partindo da tendência à satisfação encontramos também aqui uma dissimetria. Todos os desejos animais se detêm diante de um desejo, que é o desejo de conservação da vida, mas não o desejo humano que só é averiguado enquanto tal quando o sujeito arrisca a sua vida em função do seu desejo. Trata-se de uma luta de prestígio com o outro em vista do reconhecimento de seu desejo, o que leva o humano a arriscar a própria vida. O resultado dessa luta introduz na dialética da constituição da consciência de si a dissimetria entre o senhor e o escravo: o senhor é o senhor porque arriscou a sua vida e o escravo não.

Mas o que é desejar um desejo? — pergunta Kojève. O que é desejo de desejo? Desejar um desejo é querer deter o valor desejado pelo desejo do outro. Desejar o desejo de um outro é desejar que o valor que sou ou que represento seja o valor desejado pelo outro. Quero que ele reconheça meu valor como se fosse o seu; quero que ele reconheça o meu valor como um valor seu; quero que ele me reconheça como um valor autônomo. Todo desejo humano para Hegel é, portanto, desejo de reconhecimento. O desejo humano é gerador da consciência de si e o é em função desse desejo de reconhecimento. Para se falar da origem da consciência de si é portanto necessário falar de uma luta mortal em vista de reconhecimento.

Qual a diferença entre Hegel e Lacan no que diz respeito ao desejo? Se, para Hegel, o desejo do homem é o desejo do outro (com minúscula), para Lacan, o desejo do homem é o desejo do Outro (com maiúscula). Em Hegel, meu desejo depende do outro como desejante e como consciência, estando, como desejo, interessado numa luta de prestígio com o outro para ser por ele reconhecido. Para Hegel, o outro é aquele que está presente e que me vê e contra quem eu luto. Para Lacan, o Outro se apresenta como inconsistência e inconsciência. O inconsciente é o discurso do Outro, sendo que para o neurótico, ele é barrado, porque há uma inscrição da falta no Outro, o que o torna inconsistente. É justamente por haver uma falta inscrita no Outro que o Outro diz respeito ao desejo do sujeito, pois é ao nível do que falta no Outro que sou levado a buscar aquilo que me falta — o que me falta como objeto de meu desejo. O Outro para Lacan é o lugar de significantes (A), mas é também o lugar onde se institui o Outro da falta, pois falta o significante que o definiria como uma totalidade: S(Ⱥ).

No seminário sobre a angústia, Lacan desenvolve suas diferenças com Hegel sobretudo no que diz respeito à concepção do outro. Em Hegel, o desejo é portanto desejo de desejo, isto é, desejo que um desejo responda a um outro desejo, responda a um chamado de desejo. Ele é desejo de um desejante, desejo do outro. Esse desejante que é outro, e que me interessa, eu preciso de seu reconhecimento. Em Lacan, a questão do reconhecimento não se coloca no Outro porque, justamente, o sujeito não vai se fazer reconhecer pelo Outro porque o Outro falta, o Outro é barrado. Para a psicanálise, o desejo do homem é o desejo do Outro na medida em que:

1. O inconsciente como discurso do Outro é constituído pela cadeia significante por onde circula o desejo inconsciente; esse Outro é lugar da fala, da Outra Cena (*Andere Schauplatz*) segundo Freud.
2. O desejo do homem se presentifica pelo intermédio do Outro como uma questão que lhe é endereçada: *Che vuoi?* Ou uma interrogação sobre o que o outro (como parceiro) na relação sexual deseja.
3. Para além do Outro, o desejo do sujeito sempre depende de um outro — pois o sujeito não é *causa sui* —, radicalmente outro, parceiro libidinal do sujeito, que é o objeto *a*.

Se, em Hegel, o desejo é desejo do outro, meu semelhante, a única mediação que poderia haver é a própria violência presente na luta de prestígio, violência do ímpeto de destruir o outro que é próprio da dimensão do imaginário onde o outro é igual e rival. É aqui, no registro imaginário, que se encontra o desejo de reconhecimento pelo outro que acarreta sempre em luta de prestígio, com sua dimensão mortífera e a ambição de dobrar o outro impondo-o à dominação, como na dialética do senhor e do escravo. Mas o outro não é apenas rival, na medida em que a imagem do outro é suporte do desejo, pois ela não só encobre como contém o objeto causa do desejo: i(a). O desejo se manifesta no plano do imaginário, como aparece no estádio do espelho, onde o eu vê seu desejo no outro e vice-versa. Porém, não há desejo somente imaginário pois não há uma anterioridade à linguagem. O Outro é prévio ao sujeito e o desejo é determinado pelo simbólico (articulado nas cadeias significantes) e causado pelo real do objeto *a*. Portanto, o tempo de confronto de duas consciências tal como aparece em Hegel é um tempo que — embora a descrição hegeliana nos faça associá-lo ao plano imaginário — já é mediado pelo simbólico da linguagem.

No que diz respeito à função do reconhecimento em relação ao desejo, Lacan o articula ao nível da fala, na dimensão em que o desejo do sujeito é autenticado no plano simbólico. No seminário 1, em relação ao registro simbólico, o desejo é situado como devendo ser reconhecido e nomeado, ou seja, ele pode ser dito como desejo de alguma coisa. Lacan dá como exemplo o que Freud fez com Dora, ao dizer-lhe: "Você ama o Sr. K". Embora Lacan chame a atenção de que Freud errou na nomeação do desejo — pois não era o Sr. K, e sim a Sra. K. o objeto de desejo de Dora — ele não coloca em questão a nomeação do desejo.[8] No Seminário 2, apesar de encontrarmos a função do reconhecimento ligada ao desejo, Lacan aponta que o "desejo é desejo de nada, é desejo de nada nomeável". Por trás daquilo que se pode nomear do desejo, encontra-se o que há de mais inominável: a morte, que aparece então como o que do desejo não tem nome. Porém se tomarmos a análise de Lacan do conjunto do sonho da injeção de Irma e da interpretação de Freud, veremos que o desejo de Freud em questão é um arroio inominável que corre em derivação da cadeia significante da demanda... de reconhecimento.

Freud, como vimos, considera um sucesso ter desvendado e explicado este sonho em todos os seus detalhes a partir do "desejo" de se desresponsabilizar pelo fracasso do tratamento de Irma. Pois bem, Lacan põe em evidência que o sonho de Irma é o sonho de alguém que está buscando a chave dos sonhos e que, em suma, esse sonho e sua interpretação são uma fala de Freud dirigida a nós, uma mensagem de Freud à comunidade dos analistas. Podemos acrescentar que se trata de um *Wunsch* sob a forma de demanda — desvelada em carta a Fliess, como vimos no capítulo anterior — de que ele gostaria de comemorar este sonho, inaugural da psicanálise, com uma placa colocada em Bellevue nomeando Freud o decifrador do mistério dos sonhos. É uma demanda de Freud dentro da função do reconhecimento, e não é à toa que ela é dirigida a Fliess em uma carta de amor de transferência. Qual seria então o desejo inconsciente de Freud que foi o motor do sonho? Ele mesmo não nos diz mas para Fliess sim, trata-se de desejo sexual (sem mais detalhes). Ao considerar tudo o que Freud produziu e tudo o que teve de enfrentar, em si mesmo e na comunidade, para fazer avançar a psicanálise, podemos inferir que se trata do desejo, para-além de qualquer demanda, em sua manifestação mais inventiva: o desejo de saber.

Encontramos, portanto, no ensino de Lacan a função de reconhecimento ligada inicialmente ao desejo dentro de uma concepção hegeliana; mais tarde ela desaparece para dar lugar ao conceito de demanda: o desejo de reconhecimento é antes uma modalidade da demanda. Em 1958, em "A direção do tratamento e os princípios de seu poder", Lacan desvincula completamente o desejo da função de reconhecimento, pois o desejo não pede para ser reconhecido nem o sujeito quer reconhecer o desejo, este pode ser apreendido apenas na interpretação, ao pé da letra. O desejo está sempre em alteridade em relação ao sujeito, furtando-se, esquivando-se, pois se encontra no lugar do Outro. "Se eu disse que o inconsciente é o discurso do Outro com maiúscula foi para indicar o para-além em que se ata o reconhecimento do desejo ao desejo de reconhecimento."[9] O que interessa em relação ao desejo está para além da função de reconhecimento.

A estrutura da demanda

Lacan propôs o conceito de demanda como resposta ao conceito de frustração, muito em voga no movimento analítico da época, para inscrever esse conceito no campo da fala e da linguagem, como vemos no texto "A direção do tratamento". A frustração é o sentimento provocado no analisante pela não resposta à demanda, e a "regressão", que implica essa frustração, corresponde à emergência de significantes da história libidinal infantil do sujeito. A regressão só diz respeito à pulsão oral, anal, através dos significantes da demanda, onde o desejo se fixou. A clássica tríade "frustração-regressão-fixação" é reinterpretada por Lacan a partir da linguagem e da fala: a frustração provoca uma "regresão" na cadeia significante. O sujeito não vira uma criancinha. Trata-se do deslizamento da cadeia significante trazendo à baila os significantes de sua própria demanda detectados em sua história infantil, ou seja, os significantes primordiais onde o seu desejo está fixado, pois "é por intermédio da demanda que todo o passado se encontra", como diz

Lacan, sendo justamente pela não-resposta à demanda que esses significantes que marcaram o sujeito em seu passado podem ressurgir em sua fala.

A demanda do sujeito provém do Outro, sendo datada do lugar do Outro, lugar originalmente ocupado pela mãe, e o desejo é articulado através da demanda, transparecendo na enunciação dos significantes. A demanda é portanto aquilo que se enuncia na cadeia de significantes, onde se articula o desejo como efeito metonímico, na medida em que este passa de um para um outro significante rolando como um dado lançado na fala. De palavra em palavra, temos o desejo como efeito metonímico da demanda.

A experiência analítica mostra que todas as demandas transitivas se referem à estrutura própria da demanda, que é fundamentalmente intransitiva. A demanda de sarar, a demanda de interpretação, do que fazer, enfim, todas as demandas deste tipo, que são demandas de alguma coisa, referem-se estruturalmente à demanda intransitiva, que no fundo é uma demanda de amor. Amar, verbo intransitivo, como nos ensina Mário de Andrade. Demandar idem. A demanda é incondicional, não trazendo nenhuma possibilidade de negociação, nem admitindo condição alguma; e tampouco comporta um objeto, como é o caso da necessidade.

A demanda poderia se formular pela frase "me dá", com toda a conotação impositiva que essa fórmula implica. Ela incide sobre outra coisa para além da satisfação que pede ou, até mesmo, exige. É demanda de presença ou de ausência, como podemos verificar na relação primordial do sujeito com a mãe, pois esta, no lugar do Outro, tem o privilégio de satisfazer as necessidades e também de privar delas a criança. A demanda que a criança faz ao Outro materno se situa no nível daquilo que o Outro não tem, isto é, do seu amor, na medida em que "amar é dar o que não se tem", segundo a definição de Lacan. Quando a mãe dá aquilo que tem, aquilo que pode oferecer, não se trata de uma prova de amor. As demandas constantes da criança que aparecem, por exemplo, na rua pedindo à mãe, "me dá isso, me dá aquilo", na verdade são demandas impossíveis de se satisfazer, pois quando ela recebe o que pediu já pede outra e mais outra e outra ainda, porque trata-se efetivamente de demanda de amor por onde circula o desejo como desejo de outra coisa.

Como a demanda do sujeito se constitui através da demanda do Outro? As chamadas fases de desenvolvimento, como as fases pré-genitais e a fase genital, se ordenam conforme a dialética da demanda de amor e da prova de desejo. Não há relação natural de engendramento de uma fase na outra dentro de um circuito instintivo. A passagem da pulsão oral à pulsão anal só se dá pela intervenção da demanda do Outro. Não se trata, portanto, de um processo de maturação libidinal, mas da relação do sujeito com a demanda ao Outro (oral) e a demanda do Outro (anal). Isto pode ser lido no matema da pulsão em que o sujeito se encontra em disjunção e conjunção com a demanda do Outro ($\$ \diamond D$), ou, também poderíamos dizer, com o Outro da demanda. A manifestação da pulsão é o sujeito acéfalo, isto é, o sujeito que desvanece diante das demandas orais e anais constituídas pelo Outro.

A demanda é o que representa a sexualidade no inconsciente pois a gramática da pulsão é feita de significantes recalcados, como vimos anteriormente, os *Vorstelungreprezentanz*. Se a pulsão fosse apenas silenciosa — vertente que foi formulada por Freud como pulsão de morte — e não se inscrevesse no significante, jamais uma lista das pulsões poderia ter sido declinada. A pulsão é uma demanda inconsciente que implica o corpo, os orifícios do corpo, daí ser um conceito que se encontra no limite entre o físico e o mental, o corpo e o inconsciente

No grafo do desejo de Lacan, encontramos dois lugares onde figura a demanda. No primeiro patamar, a própria cadeia de significantes situa a fala como uma demanda endereçada ao Outro (A). No segundo, correspondente à cadeia inconsciente, encontramos a pulsão ($\$ \diamond D$) como demanda inconsciente. O desejo se situa entre as duas formulações, para além e para aquém da demanda.

A não resposta à demanda (em A) faz aparecer a dimensão do desejo (*Che vuoi?*) implicando a "regressão" a significantes das demandas (passagem para o segundo patamar) nas quais houve fixação. É a ausência de resposta do analista ocupando o lugar do Outro que permite abrir a questão do desejo e a passagem ao nível do inconsciente pulsional. ($A \xrightarrow[d]{} \$ \diamond D$). O desejo passando pela pulsão vai ter como primeira resposta o significante da inscrição da falta no Outro, $S(\not{A})$.

A demanda do sujeito se constitui, portanto, a partir da demanda ao Outro e da demanda do Outro, aquele que é responsável pelo fato de a pulsão oral passar à pulsão anal havendo inscrição no inconsciente sob a forma da *Vorstelungreprezentanz*. Essa demanda do Outro é incondicional e o sujeito diante dela se vê assujeitado. O desejo é o que vai permitir ao sujeito destacar-se, desligar-se do Outro; ele derruba o incondicional da demanda do Outro — o desejo é portanto uma defesa contra demanda do Outro. Que demanda é essa? A de que o sujeito lhe dê o complemento que lhe falta, o falo, pois o neurótico acha que o Outro demanda sua castração. A introdução do significante da lei no Outro pela operação do Nome-do-Pai significa que a criança não é aquilo que poderia preencher o Outro, isto é, que a criança não é o complemento do Outro. Do seu lado, por não poder dar aquilo que ele tem, o sujeito dá aquilo que não tem, isto é, o seu amor; por não poder vir ocupar esse lugar que a mãe lhe demanda (lugar do falo), a criança lhe dá o seu amor.

Na análise, não se trata de saber o que o sujeito demanda, mas sua relação com a demanda inconsciente do Outro, sendo que o desejo, por ser vinculado à lei, é aquilo pelo qual o sujeito se situa em relação a ela, podendo inclusive dizer-lhe não. O desejo se apóia na lei que o constitui e com a qual está estruturalmente associado para derrubar o incondicional da demanda do Outro, colocando-se, para o sujeito, como condição absoluta.

Diante da demanda do Outro, representada no inconsciente pela pulsão, o que advém para o sujeito é a castração. Lacan chega a identificar essa posição do sujeito em relação à demanda inconsciente com a posição incestuosa, o sujeito devendo escolher entre a demanda e o desejo, ou seja, entre ser o objeto incestuoso e ter o seu próprio sexo. Ele tem de escolher entre o ser e o ter: ser o falo ou entrar na dialética do ter ou não ter. Para não dar aquilo que ele tem (o falo), ele dá o que não tem: o seu amor. O sujeito tende portanto a dar como resposta o significante da falta no Outro, promovendo assim sua saída da submissão à demanda do Outro, o que corresponde à passagem no grafo: $[\$ \lozenge D] \rightarrow [S(\not{A})]$.

Para o sujeito neurótico, sua demanda tem uma relação com a falta no Outro, porque o Outro só demanda porque algo lhe falta. O neurótico identifica a falta no Outro, simbolizada por aquilo que escapa à simbolização (a), à sua própria demanda, substituindo, portanto, a fantasia $(\$ \lozenge a)$ pela pulsão $(\$ \lozenge D)$.

A demanda e o desejo comportam uma dialética que se manifesta na relação de amor e na relação sexual.

Na relação amorosa, seja do casal ou entre pais e filhos, a tentativa de satisfação da necessidade tenta preencher a falta contida na demanda de amor desconsiderando que aí existe um sujeito. E este acaba por reagir, seja com uma atitude de rechaço, seja fazendo greve para fazer valer o desejo. É o caso do filho que pede aos pais que não lhe tragam mais presentes, da esposa que impede o marido de lhe dar aquilo que mais gosta (como a bela açougueira), ou da anoréxica que faz greve para manter a falta constitutiva do desejo e mostrar que sua fome não é de comida e sim de amor. Recusando a resposta fisiológica à demanda, a anoréxica faz existir o objeto *a*, irrepresentável por qualquer alimento, vazio contornado pela pulsão oral: ela come nada.

Os fenômenos da demanda na análise

Não devemos acreditar que haja uma estrutura única que se poderia qualificar como demanda de análise. O sujeito vem ao analista com uma demanda bem precisa relativa a seu sofrimento, sobre o qual o saber que possui é insuficiente. É com a oferta que o analista cria a demanda — o que significa que o desejo do analista está aí desde o início — e se propõe a ocupar o lugar de endereçamento das demandas do sujeito, isto é, colocar-se no lugar inicialmente do Outro do amor, que é também o Outro do saber. O indivíduo que chega ao analista dirige sua demanda ao saber apoiada numa questão: o que eu tenho? O que está acontecendo comigo? O que isto quer dizer? A demanda em análise é uma demanda que se dirige ao sujeito suposto saber. Não se trata de uma demanda de análise, e sim demandas de sentido, de sarar, de interpretação — que são estruturalmente, como vimos, todas demandas de amor.

Se não há análise possível sem a emergência do sujeito suposto saber é porque ele se articula com a demanda de amor que abre o registro da transferência. Esse amor, Freud nos ensinou a considerá-lo como um amor verdadeiro. E quem ama não quer ser amado? Amar comporta sempre a reciprocidade, pois amor demanda amor, sendo, portanto, o amor de transferência uma demanda de amor. A não resposta à demanda de amor presente na transferência é o que Freud enunciou como a regra da abstinência no texto "Observações sobre o amor transferencial": "O tratamento deve ser levado a cabo na abstinência, com isto não quero sujeitar a abstinência física, fixarei como princípio fundamental que se deve permitir que a necessidade (*Bedürfnis*), e o anseio (*Sehnsucht*) da paciente nela persistam a fim de poderem servir de forças que a incitem a trabalhar e a efetuar mudanças".[10] Ao pensar o tratamento analítico no campo da linguagem e na função da fala, podemos traduzir o princípio fundamental da abstinência — princípio ético e técnico — afirmando que só há análise na medida em que a demanda e o desejo do analisante se mantêm insatisfeitos. É pela não resposta à demanda que surgem os significantes ligados à demanda inconsciente (necessidade significantizada) através dos quais o desejo pode-se articular. Uma das formas de o analista não responder à demanda é calar — o silêncio do analista —, pois essa é a única possibilidade de fazer emergir esses significantes na associação livre.

Estruturalmente, a demanda tampouco pode ser satisfeita. Na verdade, a única resposta possível a se dar à demanda é *não*, pois responder à demanda é fazer calar — fazer calar o desejo. Atender a demanda é uma forma de doar, que, na verdade, constitui por si mesma uma vertente da demanda.

Sabemos como dar presentes é demandar amor, como no exemplo clássico de Freud em que dar as fezes tem o significado de presentear: a criança as oferece à mãe para obter seu amor. Dar é demandar.

Na análise, o amor é um apelo ao saber, na medida em que a demanda é dirigida ao sujeito suposto saber. Sujeito suposto saber o quê? Trata-se de um saber inconsciente, decerto, mas trata-se particularmente de um saber sobre o desejo inconsciente, sobre o objeto que causa esse desejo. O sujeito suposto saber é o próprio suporte da transferência na medida mesmo em que ele é idêntico ao amor. A transferência é o amor se endereçando ao saber, pois ama-se aquele em quem se supõe um saber. O analista é investido dessa suposição pela transferência, mas não pode responder daí. Desprezar esse lugar do sujeito suposto saber é uma forma de não responder à demanda de amor. Ao ocupá-lo e respondendo a partir dele, o analista vem situar-se como detentor do tesouro de significantes, o lugar do Outro para o sujeito. Esse lugar tem toda a dimensão da onipotência, não devido ao fato de o analista ser onipotente mas pelo fato de ele estar no lugar do tesouro de significantes (em A), ou seja, de ser suposto possuir todos os significantes apropriados a responder à questão do sujeito.

O analista barrando o saber suposto sobre o inconsciente do sujeito (ilusão que o próprio dispositivo analítico confere) realiza a operação de barrar o Outro como tesouro do significante aí inscrevendo a falta: Ⱥ. Pois, se a análise é uma experiência de significação, não cabe ao analista trazer significados e sim fazer valer o desejo como efeito de significação através dos lances do sujeito. Essa operação, que implica em desprezar a posição do sujeito suposto saber, o analista a efetua para que apareça a dimensão da falta correlativa ao desejo e para que a análise progrida da demanda dirigida ao analista à demanda inconsciente, escrita da pulsão. Outra maneira de não responder à demanda é se fazer pagar, receber seus honorários.[11]

A questão do desejo e as respostas do sujeito

É na demanda endereçada ao analista que circula o desejo, escamoteado, escondido, disfarçado na enunciação e nos intervalos do enunciado, nas pausas, nas exclamações, nos suspiros; em suma, é na modalização da fala que cabe ao analista avalizar a presença do desejo.

Voltando à relação do sujeito e do Outro a partir do par constituído pela mãe e pelo bebê, consideramos com Lacan que o sujeito apreende o desejo do Outro não no que a mãe diz, mas nos intervalos de seu dizer, nos intervalos entre os significantes, situando-o aí, como enigmático, como algo apenas suposto. Ele o apreende como pergunta: "Ela está me dizendo isso, me pedindo para fazer aquilo, mas, afinal das contas, o que ela quer?" A partir do desejo do Outro abre-se para o sujeito a dimensão do seu desejo. O sujeito vai constituir, então, as suas respostas sobre o que é o desejo do Outro. Trata-se de saber qual é o desejo do Outro em relação a ele: será que o Outro me quer, não me quer? Quer ele a minha morte, quer a minha vida? Será que o Outro me quer do sexo que eu sou ou gostaria que eu fosse do outro sexo? É a partir daí que o sujeito vai constituir o seu desejo, ou seja, a partir do desejo do Outro — como "que queres?" (*Che vuoi?*). É a dimensão da questão que deve ser introduzida quando o sujeito chega ao analista com suas demandas.

Cabe ao analista fazer surgir o desejo como questão, o que ele faz apoiando-se no desejo do Outro do sujeito a partir da transferência. Se em Freud o desejo é definido como um movimento, em Lacan o desejo é apreendido como questão. A dimensão do desejo, na verdade, é uma dimensão interrogativa, em movimento e não assertiva ou conclusiva. O que é da ordem da asserção é tanto a resposta do sujeito à questão do desejo, como a própria demanda.

O sujeito vem à análise com uma demanda que se apresenta em sua dimensão imperativa; e quando se estabelece a transferência ela aparece, escamoteada ou não, como exigência amorosa. O desejo, ao se apresentar como pergunta, faz surgir para o sujeito algo que o faz questionar-se, pois o desejo é um enigma. É função do analista abrir essa dimensão do desejo — o que não é nada evidente, pois o sujeito, pelo efeito do recalque, não quer saber de seu desejo. Dimensão que surge, por exemplo, quando o analisante se pergunta sobre o que o analista quis dizer ou por que interrompeu a sessão naquele momento determinado. O desejo do Outro surge na análise, pela via da transferência, como interrogação sobre o desejo do analista, como veremos a seguir.

Lacan chega a propor como se formulariam o desejo histérico e o desejo obsessivo. Se, na histeria, a questão paradigmática é "sou homem ou sou mulher?", na obsessão é "estou vivo ou não?". Trata-se, em ambas as neuroses, da maneira como o sujeito se situa entre dois significantes (S_1-S_2) fazendo surgir o desejo como questão. Pois o desejo se encontra articulado à divisão subjetiva — divisão entre homem e mulher, entre vivo ou morto — em suas múltiplas versões. Como o sujeito responde à questão do desejo?

Vejamos o grafo do desejo que pode ser lido como o grafo da direção do tratamento, pois aí encontramos o percurso que o sujeito faz em sua própria análise. Destaquemos três vetores: a cadeia significante, que corresponde à fala do sujeito: s(A) → A; a cadeia significante do inconsciente: ($ ◊ D) → S(A̸); e o vetor que faz a volta toda e corta os dois primeiros que é o vetor do desejo a partir de $. Isso se dá em termos simultâneos, não numa cronologia, mas numa simultaneidade. Todos os matemas do lado direito são da ordem do código; e os da esquerda, da ordem da mensagem. Vou considerar estes últimos como as respostas do sujeito ao desejo do Outro.

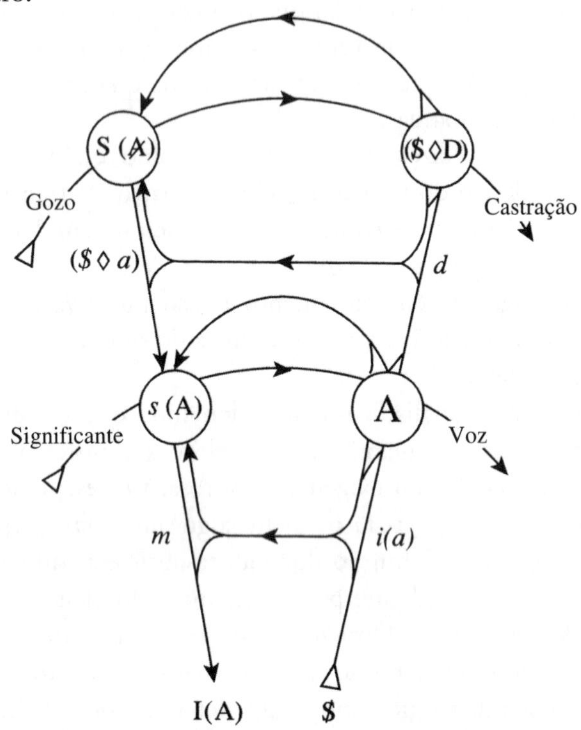

Ao endereçar a sua fala ao analista no lugar do A, o sujeito transfere aquilo que é para ele o significado do Outro (s(A)), ou seja, seu sintoma. Pela não resposta do analista, é possível ir para o patamar superior e não ficar circulando no circuito abaixo, que é, propriamente falando, o circuito imaginário, do sentido, da consciência, do *eu* do sujeito. Nesse circuito de baixo vemos formalizada a articulação entre o sintoma (s(A)) e o eu (m). O sintoma se manifesta no eu: na histeria, no corpo; na neurose obsessiva, nos pensamentos conscientes. As psicoterapias atuam nesse circuito trabalhando sobre o ego o significado do sintoma e reforçando os ideais (I(A)). Já a psicanálise modifica essas instâncias atuando não sobre eles diretamente, e sim sobre suas determinações inconscientes. As modificações que ocorrem no eu, no sintoma e o nível dos ideais se dão por acréscimo, pois constituem um efeito do deciframento do inconsciente.

O ato analítico, com a não resposta à demanda de sentido que o sujeito traz com seu sintoma, abre uma brecha no Outro, e a questão do desejo aparece no âmbito da pulsão relacionado aos significantes da demanda que vão ser decifrados na história do sujeito. A pulsão é um código pessoal do sujeito na medida de sua alienação ao Outro. A pulsão está articulada com o Outro e se apresenta para o sujeito como uma alteridade que toma a forma da uma demanda do Outro, demanda imperativa, superegóica. Pois a demanda do Outro é articulada a uma figura do Supereu, e o sujeito é ameaçado por ela — ele vive perigosamente a sua pulsão — em virtude de sua conseqüência ser a castração. É devido à pulsão, com sua exigência de satisfação, que o Outro demanda sua castração.

A resposta do sujeito ao enigma do desejo, que lhe advém como mensagem que ele recebe do Outro, se declina em cinco matemas — S(Ⱥ), $ ◊ a, s(A), m, I(A) —, na ordem de sua determinação simbólica.

Todo final de análise deve chegar ao S(Ⱥ). É por isso que o sujeito deve atravessar e romper o plano das identificações, (I(A)), ir para além do eu e do plano imaginário (m-i(a)), abrir mão do sentido do seu sintoma (s(A)) e atravessar a fantasia ($ ◊ a) para poder chegar a esse ponto de não resposta absoluta do Outro. Esses são os patamares subjetivos a atravessar na análise.

A definição do que vem no lugar de S(Ⱥ) varia a cada etapa do ensino de Lacan. Em "A direção do tratamento", ele chama esse significante de falo. Como significante que vem tampar o furo do Outro podemos identificá-lo ao falo, que é o significante de suplência que vem suprir a falta do Outro: Φ/Ⱥ. O S(Ⱥ) que vemos nas fórmulas da sexuação não é o falo mas se refere ao Outro gozo, não limitado pelo falo. Ele é o único matema de Lacan que mostra que o Outro é barrado. Os outros matemas em que temos a letra A, esta não se encontra barrada, significando que há um significado dado ao Outro (s(A)) como se ele existisse, e também o traço que vai representar o Outro para o sujeito, constituindo o traço unário do ideal do eu (I(A)). Com o matema S(Ⱥ), Lacan indica que há algo que não faz limite, que é aberto e que, no fim das contas, nada vai tampar esse furo apontado pela barra. Em outros termos, nada pode significantizar todo o gozo, pois este sempre excede à simbolização. S(Ⱥ) também corresponde a um furo do Outro significante, sendo portanto correlativo ao gozo.

Ao separar a castração do gozo, Lacan aponta que o gozo não tem representação significante, ao contrário da castração. Aponta que a demanda do Outro acaba sendo a castração. O neurótico supõe que o

Outro quer sua castração, o que faz Lacan comparar a mãe a um grande crocodilo de boca aberta. Fazer-se devorar pelo Outro é uma representação superegóica da pulsão oral. Para a pulsão anal, essa representação pode aparecer clinicamente como fazer-se ejetar como uma merda do Outro. Eis duas figuras da castração articuladas à demanda do Outro, contra a qual se insurge o sujeito desejante.

Na fantasia — como resposta ao "Que queres?" do desejo — trata-se da relação do sujeito com o objeto que, causando o desejo, o divide ($ ◊ a). Mas esse objeto é o status do sujeito como objeto do Outro. A fantasia fundamental e as fantasias masturbatórias imaginárias transformam o gozo em gozo ao alcance da mão, utilizável para se relacionar sexualmente com o outro. O sintoma é a resposta como significado ao que retorna ao sujeito vindo do Outro [s(A)], como desenvolveremos adiante. Se a fantasia vem enquadrar a resposta em uma cena do desejo, o sintoma significa para o sujeito o desejo do Outro. Significação enigmática, articulada em significantes, que cabe ao sujeito decifrar.

Nessa série de respostas temos finalmente os ideais que o sujeito constitui para si — casar, ter filhos, ser engenheiro, advogado, ser rico, ser inteligente, ser cortês etc... São traços significantes vindos do Outro materno ou paterno (ou ainda outro) que ele vai apreender como veiculando o desejo do Outro, constituindo assim seus ideais. O desejo está sempre vinculado à identificação simbólica constituída pela instância do Ideal do eu, que na verdade é o Ideal do Outro [(I(A)].

Esses níveis de resposta, que o sujeito dá à questão sobre o desejo, serão desdobrados na própria análise. A não resposta à demanda é o que pode fazer surgir o sujeito do desejo e suas respostas. Por outro lado, é não se assujeitando à demanda do Outro que o sujeito se afirma como desejante, podendo então se defrontar com a falta do Outro [S(Ⱥ)]. A partir disso, o sujeito poderá depreender a sua fantasia, que, na verdade, é sua janela para o mundo: a fantasia recorta a realidade para o mundo fazendo-o se situar aí para além dos ideais.

Uma analisante queixa-se durante uma sessão de sua dificuldade de entrar no jogo de máscaras social, de fazer de conta, de calcular quando deve e pode dizer o que realmente pensa, em suma, de entrar no semblante próprio a qualquer relacionamento, principalmente institucional. "Eu não consigo fazer como se", diz ela. E eu interrompo a sessão. Na seguinte, ela me relata que, ao sair dali, veio-lhe imediatamente a frase "como se quiser", que sua irmã anoréxica repetia durante as refeições familiares desafiando o pai que a obrigava a comer. O que mostra o funcionamento linguageiro do inconsciente com sua química silábica e a passagem da demanda, implicada na queixa, à demanda do Outro vinculada à pulsão oral. Comparando-se com sua irmã, diz que, por sua vez, sempre comia tudo, "limpava o prato", nunca tendo coragem de dizer ao pai esse "como se quiser". E continua: "até hoje eu como com moderação apenas o suficiente para estar satisfeita sem excesso". E associa imediatamente a sua impossibilidade de dirigir carro, tendo sido várias vezes reprovada no exame de direção, pois anda devagar demais ou corre demais, mostrando o deslocamento do excesso da comida para a direção incontrolável do carro, que é um sintoma que extrai sua força pulsional da demanda oral (o "excesso"). A análise permitiu-lhe fazer um curso de direção com o desejo decidido de passar: passar para além do pai.

Encontramos, portanto, a oposição entre desejo e demanda reatualizada na própria análise. O neurótico, para não querer saber sobre a causa de seu desejo, tende a confundir o objeto com a demanda. A demanda de amor para o neurótico é algo absolutamente essencial e nem é preciso ser analista para detectar isso. O carente é o protótipo do neurótico. Ele está sempre sozinho, abandonado, procurando companhia, escamoteando assim o objeto que propriamente causa seu desejo. É justamente contra o que o analista deve conduzir uma análise: na contramão da demanda. O que promove a entrada em análise é a oposição entre a demanda do analisante e o desejo do analista, ou melhor, é o ato analítico em contraposição à transferência com sua demanda de amor. O analista, ao levar a demanda à pulsão, não tem como deixar de frustrar as demandas do analisante, o que dá o aspecto desagradável, desprazeroso, estritamente falando, de uma análise. O que é, digamos, compensado pela retomada do fio do desejo, do ganho terapêutico, da conquista do saber e da redução do sintoma.

Histeria e obsessão

O sujeito que vem a uma análise é como o jagunço do conto *Famigerado,* de Guimarães Rosa, já evocado no Preâmbulo: vem com uma demanda de saber, demanda imperativa: "... olhava interpelador, intimativo." Quando essa demanda se expressa em uma pergunta, surge o desejo como interrogação: o que o moço do governo queria com aquele dizer? O enigma do *famigerado* leva ao enigma sobre o desejo do Outro expresso no *familhas-gerado,* que é de fato a própria interpretação do desejo, pois o desejo, como diz Lacan, é sua interpretação. Na estória, faltou o analista para deslocar a função do sujeito suposto saber para o sujeito que perguntava pontuando-lhe a própria frase.

A dimensão da demanda abre o registro do poder em análise em seu duplo sentido: o da potência, do poderio, ou seja, do poder exercido sobre alguém, e também o sentido da potencialidade, da possibilidade, isto é, de poder responder a um apelo. A onipotência do Outro, ou seu poder em potência, é relativa à demanda do sujeito dirigida a um Outro que *tem*; o Outro tem como responder, ele tem para dar. O Outro-que-tem não é marcado pela falta, eis por que seu atributo é a onipotência, cuja insígnia constitui o traço unário do ideal do eu que é, de fato, sempre um traço Outro não barrado, I(A), ao qual o sujeito se aliena através da identificação para se ver amável, digno de amor. A onipotência nunca é, pois, um traço do sujeito e sim do Outro. É justamente pelo fato de a onipotência ser do Outro, enquanto Outro que tem, que o sujeito instala aí sua demanda. No amor de transferência (na verdade uma demanda de amor) o analista é chamado a encarnar não apenas o sujeito suposto saber mas também o sujeito suposto poder.

O sujeito suposto saber é o efeito de significado da articulação significante, ou seja, produto da associação livre desencadeada pelo enganche simbólico da transferência. E o sujeito suposto poder é um produto do amor — demarcado no senso comum como a dependência do analista. O sujeito suposto saber decorre da atribuição ao Outro de algo que vem tamponar sua falta, algo relativo ao saber tal como Sócrates para Alcibíades, e o analista para o analisante. A falta do Outro é suprida pelo analisante com o saber suposto. Assim, sem falta (aparente, pois está encoberta pela suposição de saber), o Outro aparece com os ouropéis da onipotência. A articulação entre o significante mestre (S_1) do poder, que o analisante atribui ao analista, e o saber (S_2), que a este ele supõe, instaura o lugar do Outro como bateria significante (S_1-S_2) na poltrona do analista como sítio de saber e poder.

Na histeria, o sujeito situa o Outro com o poder de responder e a impotência em mandar. Na neurose obsessiva, o Outro aparece como lugar do poder absolutista, ou seja, de comando da lei no supereu, mas é impossível que ele responda. Assim, a figura do Outro-que-tem como sujeito suposto poder aparece na histeria sob a forma do Outro que pode dar amor, saber, satisfação e, na neurose obsessiva, sob a forma do Outro que detém o poder. Mas, na verdade, como o Outro na neurose é barrado, a falta do poder do Outro retorna: na histeria sob a forma da impotência em comandar, pois o mestre é castrado para a histérica reinar; na neurose obsessiva sob a forma da impossibilidade de ele responder ao apelo de amor do sujeito. É nessa falha do poder do Outro que se aloja o desejo do sujeito: a insatisfação do desejo na histeria é relativa à impotência do poder do Outro assim como a impossibilidade do desejo na neurose obsessiva é encoberta pelo impossível da resposta ao apelo do sujeito.

A topologia do toro é utilizada por Lacan no seminário sobre *A identificação* para demonstrar a articulação entre demanda e desejo. Lacan justifica a utilização da topologia das superfícies propondo que apenas duas dimensões são suficientes para definir o sujeito. Não custa lembrar que as figuras topológicas só são mergulhadas em três dimensões para facilitar a demonstração, pois elas não têm interior — o que interessa são suas caraterísticas de superfície.

Há uma propriedade estrutural do sujeito que o toro demonstra: quando o sujeito deu apenas uma volta inteira ele deu efetivamente duas, passando pelo círculo pleno e pelo círculo vazio do toro. Essa volta que falta em sua conta faz com que a subjetividade não possa ser apreendida a não ser passando pelo Outro, como nos indica Lacan nesse seminário. O sujeito se enganou de *um* em sua conta; e vemos então aparecer o –1 (menos um) inconsciente em sua função constitutiva do próprio desejo.

Quando houver percorrido as voltas da demanda, representadas pelo círculo pleno, completado um circuito inteiro, ou seja, retornado ao ponto onde começou, o sujeito terá percorrido o círculo vazio do desejo sem se dar conta.

É nesse vazio do desejo, no interior do círculo vazio (que nos aparece como o interior do toro, mas que na verdade está em seu exterior), que se encontra o objeto *a.*

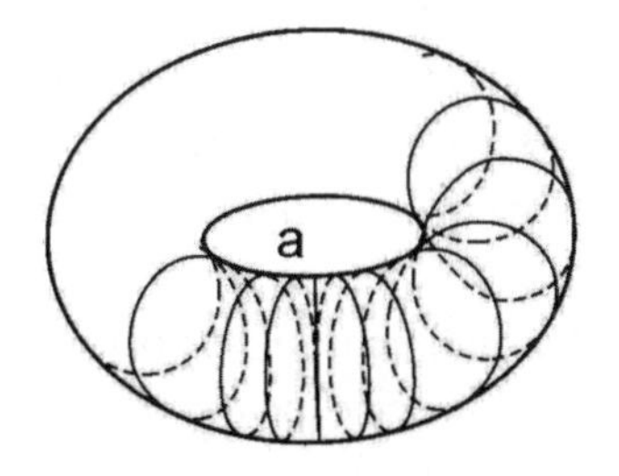

"Sem se dar conta" significa não contar, deixar de contar. Dar-se conta não significa o aspecto psicológico de apercepção ou *insight* e sim a contagem. Dar conta de algo, ou de uma situação, é poder contar aí o desejo que está em jogo, assim como o dar-se conta é poder contar-se como sujeito desejante.

Podemos citar um caso em que a mãe, após uma pergunta fundamental que seu filho lhe fez, respondeu: "Não é de sua conta." Na sessão seguinte, após relatar o fato, o menino propõe ao analista contar para brincar de pique-esconde, versão do *fort-da*, ou seja, uma encenação da metáfora paterna e da questão sobre o desejo do Outro. Mas ele acaba não conseguindo contar, assujeitando-se ao dito do Outro que não possibilita a contagem exploratória sobre o desejo como desejo do Outro.

"Poder contar com o Outro" — eis o que almeja o neurótico. Se eu conto para ele, ou seja, se eu não sou a volta pulada no desejo do Outro, eu posso contar com ele. O Outro com quem o sujeito não pode contar é o Outro que falta — e falta justamente quando o sujeito mais precisa: na angústia, sinal que, por estrutura, o Outro falta. Para não se deparar com a falta estrutural do Outro, o neurótico reclama, reivindica, exige que o Outro não lhe falte.

O sujeito é simbolizado por essa volta forçosamente não contada; o sujeito é esse menos-um que se encontra no fundamento lógico de toda possibilidade de afirmação universal, ou seja, a exceção.

Essa exceção, (–1), da volta não contada do desejo nas voltas da demanda, aparece na clínica sob a égide da frustração, ou seja, da imaginarização da falta constitutiva do desejo. A frustração é o efeito da demanda barrada por onde emerge o desejo. Na relação transferencial, o sujeito, ao ser frustrado em sua demanda de amor, acha que não conta para o analista. Na versão histérica, temos o "eu não conto para ele porque não sou nada" e, na versão obsessiva "eu não conto porque sou uma merda". Tanto na histeria como na neurose obsessiva, o sujeito se manifesta como não contando, não contado. Mas o que o neurótico reivindica não é apenas ser levado em conta pelo analista no lugar do Outro, ele quer ser o pelo-menos-um: "não quero ser mais um, apenas mais um". Ele não quer que o analista deixe de levar em conta a sua particularidade, ou seja, ele quer ser considerado não mais um, mas a exceção. "Não quero ser mais uma de seu galinheiro" — lançou-me, um dia, uma jovem histérica ao se deparar com outras analisantes na sala de espera.

O sujeito se sente um-a-mais como resposta do seu um-a-menos, que é de estrutura, na expectativa de ser o pelo-menos-um a ter lugar no desejo do Outro.

No neurótico, há um entrecruzamento do toro do sujeito (1) com o toro do Outro (2), de tal maneira que lá onde está a demanda do sujeito se encontra o desejo do Outro e lá onde está o desejo do sujeito está a demanda do Outro.

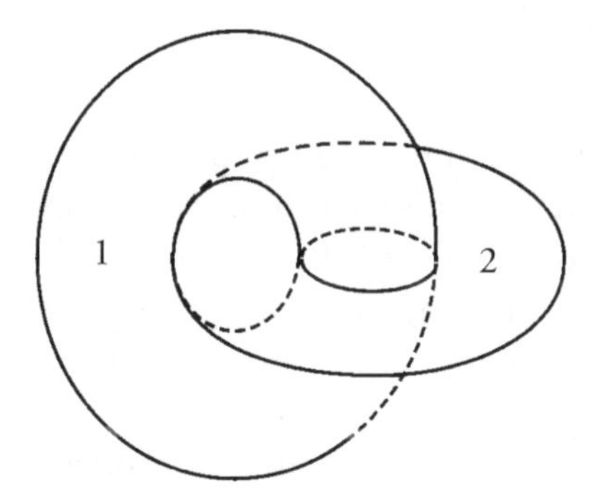

Esta é a representação topológica da clínica do desejo e da demanda que se verifica na análise. Lá onde poderia surgir o desejo do Outro com a emergência do objeto causa de desejo, o neurótico coloca sua demanda de amor (D/a), desejando a demanda do Outro. Assim o sujeito transforma o Outro num solar de amor desejando ser amado, mas em seu amor ele pede satisfação de seu desejo. Essa interconexão do desejo e da demanda do sujeito e do Outro é, como diz Lacan, o que se encontra na origem da dependência nas relações do sujeito com o Outro.[12]

A histérica, em sua estratégia, acentua a demanda de amor para escamotear o desejo, fazendo então aparecer a demanda do ser. Ela procura fazer-se de objeto de amor: dando o que tem — flores, presentes, poesias — para não dar o que não tem, não o seu amor mas a sua castração, tudo menos isso. Provocando a falta no Outro — recusando-se a falar, fazendo-se de desentendida —, ela provoca elaboração do saber para mostrar a impotência do analista; armando peças para o analista cair. No caso do analista homem, ela que saber se ele é macho e, no da analista mulher, o quanto ela o é. Assim a histérica, para se fazer amar, dá, provoca, arma e fura.

A estratégia do obsessivo é acentuar a clivagem entre a demanda e o desejo dando ênfase ao desejo — mas para mostrar as suas impossibilidades. Ele será um analisante aplicado em obter o amor do analista, anulando assim seu desejo; apela para as regras, a lei, o contrato etc. Ele transfere seu amor ao analista para que este, como Outro do amor, escamoteie o que é o Outro para o obsessivo: um Outro gozador, sem lei, ditador. O neurótico obsessivo então banca o objeto do amor para não ser objeto de tirania.

A direção da análise vai no sentido de o analista contrariar essa manobra da transferência do sujeito, que utiliza as dimensões simbólica e imaginária do amor, fazendo-o defrontar-se com o real em jogo no desejo. À demanda, o analista cala e deixa a desejar.

O desejo do analista

O "desejo do analista" é um conceito inventado por Lacan, que não encontramos em Freud, para designar o desejo que move alguém em análise — particularmente no período do final de análise — a tornar-se analista. Esse mesmo desejo é o instrumento com o qual o analisante que se tornou analista vai operar, por sua vez, na condução do tratamento analítico de seus analisantes.

A emergência do desejo do analista em uma análise corresponde à passagem de analisante a analista, momento singular que Lacan nomeou de passe. E para averiguar esse desejo Lacan propôs um dispositivo do mesmo nome em sua famosa "Proposição de 9 de outubro de 1967 sobre o Analista da Escola".[13]

É o desejo do analista que se encontra na base da ética da psicanálise, pois é o desejo correlato à ação do analista em sua clínica.

"É somente a partir do ato psicanalítico", diz Lacan no "Discurso à EFP", "que é preciso situar o que articulo como desejo do analista."[14] O paradigma do ato analítico é o próprio ato em que um analisante decide ser analista, ato portanto contemporâneo da emergência, em uma análise, do desejo do analista. Este nada tem a ver com o desejo de ser analista, que ele diferencia muito claramente nesse texto, onde nos fornece uma definição preciosa: trata-se de um lugar. O desejo do psicanalista é um lugar do qual "estamos fora sem pensar nisso", ou seja, é um lugar que está fora da cadeia significante, está do lado do "não penso" e portanto fora do inconsciente, topos de real. Porém, "ao se encontrar aí já se saiu dele" — eis sua aporia sob forma de charada. Ao ser achado, ele já escapou. Na análise, a saída do desejo do analista implica na entrada do desejo inconsciente como via analisante. Ao tentarmos articular o desejo do analista dentro da cadeia significante, não estamos mais no desejo do analista; estamos no desejo inconsciente. É fundamental portanto a distinção entre desejo inconsciente e desejo do analista: o desejo do analista é um lugar "num percurso de infinitivos", que são os infinitivos da demanda: pedir, chorar, sofrer, falar, amar, esperar, abandonar, expulsar. Infinitivos que se conjugam com seus particípios passados: ser falado, ser amado, ser esperado, ser abandonado, ser expulso. O desejo do analista é um lugar nesse percurso, que, embora não seja articulável pelos significantes dessas demandas que o analisante percorre, se encontra articulado.

O desejo do analista é articulado ao "*sens-issue* da demanda", ou seja, ao sem saída da demanda, pois não há saída possível da demanda quando se fala. Porém ao invés de Lacan escrever "sem saída", *sans-issue,* ele escreve *sens-issue* (no lugar do *sem* ele coloca o *sentido*). Como podemos ler isso? O *sens issue* evoca, por um lado, o sem saída: a via psicanalisante da articulação dos infinitivos da demanda não tem saída para o desejo do analista. O sem saída da demanda mostra que a saída pela via da demanda equivale à saída pelo sentido, que não é uma saída para o desejo do analista. Não é a partir da saída pelo sentido que vamos encontrar o desejo do analista: isto é um impasse para ele. Podemos contrapor a demanda ao desejo do analista: a saída pelo sentido se contrapõe ao sentido da saída que é o desejo do analista. Este indica o sentido da saída do âmbito da demanda, sendo a porta de saída do domínio do Outro da demanda, que é a saída do âmbito do sentido.

A única saída da demanda de ser analista é o desejo do analista. Qual o *sens*, o sentido do desejo do analista? *C'est l'issue*. É a saída. Saída no "não penso" do ato analítico. O sem saída dos infinitivos da demanda tem uma solução que é promovida pelo desejo do analista: trazer de volta a demanda à pulsão, fazer valer o real em jogo na demanda, fazer o sujeito passar do jugo dos significantes da demanda para o âmbito pulsional. O impasse da demanda é desvelado como o impossível do real: esse é o topos do desejo do analista, saída do sentido.

O desejo do analista se encontra na saída do sentido no percurso das demandas, ou seja, ele é impossível de ser demandado e muito menos de ser satisfeito. "A demanda do neurótico", diz Lacan mais adiante ainda no "Discurso à EFP", "dá o ponto em que o desejo do analista não é articulável." Há portanto uma diferença estrutural entre o desejo do analista e o desejo de ser analista. Este equivale à demanda de uma qualificação profissional, não sendo portanto diferente da demanda do neurótico — que é demanda de amor, demanda de reconhecimento. A oposição entre o desejo do analista e a demanda infinitiva corresponde à oposição entre o ato analítico e a via psicanalisante. Uma das grandes aporias do ato analítico é que o sujeito na análise, ao fazer o deciframento do seu inconsciente, não desemboca necessariamente no ato analítico, no ato em que há decisão de ser analista. O ato analítico é atópico em relação à via analisante do deciframento inconsciente. Sua lógica se articula com essa via, mas não é a mesma. O desejo do analista encontra-se em escansão, corte, ruptura, hiância em relação à cadeia significante.

Para avançarmos, devemos diferenciar "desejo do analista" e "desejo inconsciente".

O desejo inconsciente é articulado à lei: "a lei e o desejo recalcado são uma única e mesma coisa".[15] Articulado à significação fálica produzida pela metáfora paterna ele é desejo articulado pelo Édipo. É o desejo do inocente que vem à análise e que não se acovarda diante da perspectiva de destituição subjetiva, pois segue unicamente a "lei do seu desejo", como diz Lacan na "Proposição".[16] Desejo articulado à lei inscrita no Outro, ele é *desejo do Outro*.

O desejo do analista não é equivalente à lei, não é edipianamente constituído, situando-se para-além do Édipo, para-além da lei. Ele é articulado à "significação de um amor sem limites, pois está fora dos limites da lei, somente onde ele pode viver.[17] O desejo do analista não é desejo do Outro, pois advém do encontro com a não consistência do Outro, sendo correlativo à ausência do Outro. É um desejo sem Outro: ele vem no lugar do desamparo.

O desejo inconsciente é articulado a uma questão (*Che vuoi?*) e sustentado pela fantasia que constitui a principal resposta do sujeito à questão do desejo. Resposta articulada pelas coordenadas simbólicas do Outro cuja via analisante cabe decifrar para, a partir delas, construir a frase da fantasia fundamental. Enquanto o desejo inconsciente é uma pergunta, o desejo do analista é uma resposta. É uma resposta do analisante ao sem-saída da via da demanda, uma resposta à ausência de resposta do Outro, uma resposta ao desamparo.

O desejo do analista é um desejo para-além da fantasia, que não se sustenta em nada: ele é lugar vazio que o analista oferece ao analisante, uma vaga para que aí possa se instalar o desejo do analisante como desejo do Outro. Ele é como uma vaga de garagem. O desejo do analista é a vaga onde o bonde chamado desejo do analisante pode estacionar pelo tempo necessário de uma análise.

O desejo inconsciente é metonímico — é metonímia da falta-a-ser. É o que Lacan chama desejo puro, que é desejo de nada, de nada que seja palpável pelo significante ou pelo imaginário. O desejo do analista não é um desejo puro, ele é articulado à causa — ao objeto causa de desejo que se fez causa analítica para o analisante que disso fez ato. Eis por que ele é desejo de obter a pura diferença a ser produzida por outro sujeito. A pureza não está mais no desejo, mas na diferença que esse desejo visa obter em sua radicalidade. Não é necessário que em toda análise ocorra o advento da causa analítica como destino da causa de desejo. É contingente. A equivalência do desejo do analista ao próprio ato analítico assinala essa virada do desejo inconsciente ao desejo do analista, virada da causa de desejo à causa analítica.

Desejo inconsciente	Desejo do analista
$[S - S^1]$ com seta, d	$[a \xrightarrow[d]{} (\ )]$
↑	
desejo ávido de significantes falta-a-ser *want-to-be*	desejo de uma causa: a causa analítica

O desejo inconsciente se articula com a demanda, circula nos significantes da demanda. O desejo do analista está para-além da demanda. O desejo de ser analista é uma demanda de *ser*, de ser nomeado por um significante do Outro que se articula com o desejo inconsciente vinculado aos ideais do sujeito [I(A)]. O desejo do analista não é articulável à demanda do neurótico, é inédito. O desejo de ser analista, que condiciona a demanda de análise para fins de formação, é equivalente à demanda do neurótico que "condiciona o ponto profissional, a comédia social com que a figura do analista é forjada". A "Proposição sobre o psicanalista da Escola" pretende incidir nessa demanda, modificando-a.

O desejo do analista não se interpreta. O desejo de ser analista, sim, ele se interpreta, se analisa, e podemos inclusive dizer que talvez esse desejo de ser analista não desapareça completamente no final da análise, apesar de ele não se confundir com o desejo do analista. Todos os ideais desaparecem com a análise? Não; inclusive o desejo de ser analista, que é da ordem da demanda, talvez não desapareça. O desejo de ser analista atrapalha muito o desejo do analista, e ele pode vir justamente fazer irrupção na comunidade dos analistas lá onde o desejo do analista falha, ou seja, quando aparece a demanda de reconhecimento desse "ser analista", ou então no narcisismo da solidão que se presentifica nas figuras mais obscenas que ele pode revestir. O "eu sozinho dou conta", fruto do narcisismo da pequena diferença, é a transformação do sentimento da exclusão, que se fundamenta no objeto *a*, na enfatuação imaginária contrafóbica.

Lacan nos dá algumas referências do desejo do analista como operador de uma análise. No Seminário 11, ele nos indica que, "se a transferência é o que da pulsão desvia a demanda, o desejo do analista é aquilo que a traz ali de volta".[18] O desejo do analista remete a demanda do sujeito à sua vertente pulsional, pois a transferência, como amor que demanda amor, escamoteia a realidade sexual do inconsciente ao subsumir o objeto *a* pelo

Ideal do eu, situando o analista como Outro do amor. $\left(\frac{I(A)}{a}\right)$. O desejo do analista vai contra a tapeação da transferência. O desejo do analista é a verdadeira "contratransferência" (e não o que esse termo se tornou no sentido de efusões sentimentais do analista em relação ao paciente).

Como desejo impuro, ele é desejo de "obter a diferença absoluta", aquela que intervém quando, confrontado com o significante primordial, o sujeito vem pela primeira vez à posição de se assujeitar a ele.[19] O que podemos escrever: [d $\rightarrow$ S_1]. O que se desdobra em: a $\rightarrow$ (d) $\rightarrow$ S_1. É o desejo de obter o desassujeitamento ao mandamento do Outro — desejo que só pode surgir se esse desassujeitamento adveio para o próprio sujeito para que ele deseje levar um outro (sujeito) a esse ponto. Trata-se de um descompromisso com o poder, de uma liberdade em relação ao mandamento, pois o imperativo do comando caiu ($S_1 \downarrow$). Essas indicações podem ser lidas no matema do discurso do analista:

$$\frac{a}{S_2} \xrightarrow{d} \frac{\$}{S_1}$$

Na "Proposição", encontramos o desejo do analista definido como um enigma, uma incógnita, um (x) equivalente à enunciação do analista, que se pode encontrar no estilo de cada analista. É a partir dessa incógnita que o analisante qualifica seu ser como ($-\varphi$) ou (a). E na "Nota italiana", temos a afirmação de Lacan de que só existe analista se o desejo, rejeitado pela humanidade, lhe advém.[20] Eis por que ele, o analista, é rebotalho da humanidade. O analista não está do lado do humano, pois o saber vinculado a seu desejo está para além do humano. É o saber sobre a Coisa, ela própria desumana, saber sobre o objeto *a*, que constitui sua desgraça e também sua graça.

O passe no interior de uma análise corresponde ao advento desse desejo, que é um desejo de saber para além do humanismo das boas intenções, do desejo de ajudar o próximo, de tratar ou de cuidar. Trata-se pois de um desejo para além do *desejo sanandi*, do qual Freud aconselha os analistas a se precaverem. Esse desejo tem a marca de uma escolha: marca do desejo correlativo ao saber que vai no sentido contrário à civilização.

Trata-se da marca de um *desejo inédito*. Em relação a quê? Ao desejo inconsciente e ao saber já constituído. Lacan lança um desafio a ser verificado: é preciso que surja esse desejo inédito para fazer (constituir) o analista. Lacan não utiliza na "Nota italiana" o sintagma *desejo do analista*, ele se refere ao *desejo de saber* que se distingue tanto da ciência quanto da civilização. Trata-se de um desejo por um lado vinculado a um saber inédito e por outro desvinculado tanto da ciência, que foraclui o sujeito, quanto do discurso do mestre, ou seja, da lei que constitui a civilização propriamente dita.

A redução do desejo do analista ao desejo de saber é uma interpretação "aemepeísta", que não encontramos no texto de Lacan. Que o desejo do analista seja um desejo epistêmico é uma indicação que encontramos na "Nota italiana", mas ele não se define só pelo saber e *sim pelo ato.* O desejo do analista, como falta, equivale ao *não-saber* que enquadra o saber sobre o real pulsional formalizado em significantes. O desejo do analista equivale topologicamente ao furo no inconsciente definido como rede de saber. Mas essa relação de não saber com o saber não é suficiente por defini-lo.

No "Discurso à EFP", Lacan aponta que não há desejo do analista sem ato e na "Nota italiana" ele acrescenta ainda outro atributo que o caracteriza, o *entusiasmo.* O desejo do analista não é um desejo triste, conformado com a falta, não é a resignação do conformista, apesar de ser um desejo que assume a falta como consentimento à castração. Trata-se, antes, de um desejo que empolga, anima, vertendo afeto para o âmbito do saber que ele enquadra, conferindo-lhe a conotação de um saber alegre — gaio saber (que em francês designa a poesia dos trovadores). Trata-se de um entusiasmo que se diferencia do desejo de militância, de expansionismo ou de conquista territorial.

O desejo *de* saber implicado no desejo do analista não é um desejo de querer saber. O desejo aqui não é sujeito, e sim objeto do saber. O desejo é uma característica do saber: trata-se de um saber que é desejante ($S_2 \rightarrow d$). O saber está, com efeito, do lado da causa, como podemos ler no discurso do analista: $\left[\frac{a}{S_2} \xrightarrow{d}\right]$. É um desejo derivado do saber que não há relação sexual, que não há o Outro do Outro, que não há o ato do ato.

Capítulo V

As vertentes do sintoma

Descobri aos 13 anos que o que me dava prazer nas leituras não era a beleza das frases, mas a doença delas.
Eu pensava que fosse um sujeito escaleno.
— Gostar de fazer defeitos na frase é muito saudável, o Padre me disse.
Ele fez um limpamento em meus receios.
O Padre falou ainda: Manoel, isso não é doença, pode muito que você carregue para o resto da vida um certo gosto por nadas.
Há que apenas saber errar bem o seu idioma.

M.B.

Nos capítulos precedentes foram evocados, descritos e analisados diversos sintomas evidenciando sobretudo seu aspecto de formação do inconsciente e de realização do desejo, pois a descoberta do inconsciente passa pelo sintoma. Afinal, essa descoberta visa em primeiro lugar o tratamento do sintoma e, portanto, do sofrimento do humano pelo discurso do analista, na medida em que a psicanálise como práxis do inconsciente não é um mero exercício epistemológico.

A descoberta do inconsciente é a descoberta da origem sexual e da determinação significante do sintoma que estão inscritas no inconsciente. De Freud até hoje, se o "invólucro formal do sintoma"[1] tem variado segundo a época acompanhando os desenvolvimentos da ciência — as histéricas de hoje não apresentam os mesmos sintomas que as histéricas de Charcot —, sua estrutura é a mesma. E por mais que se tente encobri-la, com os manuais de diagnóstico (DSM e CID) e com os inúmeros medicamentos que hoje invadem o mercado, a descoberta psicanalítica do sintoma não pode mais ser desconsiderada.

Encontramos no ensino de Lacan um deslocamento da teoria do sintoma que comporta mudanças bastante acentuadas em sua abordagem. Não que uma teorização anule a outra. Como se trata de um ensino, assim como a obra de Freud, ele pode ser considerado um *work in progress* em que as teorizações sucessivas não se excluem (como a segunda tópica de Freud não invalida a primeira) — elas são, antes, mudanças de perspectiva. Assim, vemos a mudança de abordagem do sintoma-verdade à vari(e)dade do sintoma, do sintoma metáfora ao real do gozo do sintoma, do sintoma parasita ao sintoma como quarto nó (como a arte em James Joyce) que amarra os três registros RSI, até finalmente considerar o sintoma como o modo como cada um goza de seu inconsciente.

Neste capítulo, estudaremos, além do que já foi evocado até aqui, algumas dessas vertentes do sintoma, sem pretender esgotá-las, partindo de sua concepção da medicina à psicanálise.

O sintoma e o *pathos*

Michel Foucault, em *O nascimento da clínica*, descreve o nascimento da medicina, da qual a clínica psicanalítica é, de certa forma, derivada, ou melhor, a psicanálise tanto deriva quanto rompe com a clínica médica, sobretudo no que diz respeito ao sintoma.

A abordagem do sintoma por Foucault é uma abordagem estruturalista, o que significa que sua referência é a linguagem, a qual para os estruturalistas corresponde à própria estrutura.[2] Ele parte de uma análise lingüística do sintoma, definindo-o de início como um significante cujo significado é a doença. "O sintoma — daí seu lugar de destaque — é a forma como se apresenta a doença: de tudo que é visível, ele é o que está mais próximo do essencial; ele é a transcrição primeira da inacessível natureza da doença. Tosse, febre, dor lateral, dificuldade para respirar não são a própria pleurisia, mas permitem um estado patológico. Os sintomas deixam transparecer a figura invariável, um pouco em recato, visível e invisível, da doença."[3]

A doença como algo da órbita do invisível é tornada transparente pelo sintoma. Assim os sintomas deixam transparecer algo inaparente que é necessariamente um estado patológico determinado. O sintoma é portanto um fenômeno que, por definição, se opõe ao estado de saúde. Na clínica médica, o significado do sintoma como significante é sempre patológico.

$$\frac{\Sigma}{\text{Patologia}} \qquad \frac{S}{s}$$

Por outro lado o sintoma médico se vincula sempre a outros sintomas cujo conjunto define a doença. Na sua articulação significante com outros sintomas ele "faz" a doença. A tosse (S) se articula com febre (S'), dor lateral (S") e dificuldade de respirar (S'''), e essa cadeia significante de sintomas (n) tem necessariamente um significado: a doença pleurisia.

$$\frac{\Sigma n}{\text{doença}}$$

Para que haja essa relação entre o sintoma e a doença, ou seja, o estabelecimento de relação do significante com o significado, é necessária a intervenção de um ato que será efetuado pelo olhar médico. Este transforma o sintoma em um significante que significa imediatamente a doença como sua verdade, fazendo assim do sintoma um sinal, um signo mórbido. Eis a operação clínica fundamental.

O sintoma em medicina é um signo (ou sinal) no sentido de Pierce para quem o signo (*signe*) é aquilo que representa alguma coisa para alguém. Seu exemplo mais típico é a fumaça, pois onde há fumaça há fogo. Uma fumaça no horizonte é um sinal (signo) de que há fogo, mas para que assim seja, é necessário alguém que esteja presente para estabelecer essa relação. O sintoma é signo na medida em que representa a doença para o médico. A apuração do sintoma em medicina se vincula portanto ao método clínico historicamente datado constituído pela emergência do olhar do médico nesse campo dos sintomas.

A operação médica consiste em transformar "o sintoma em elemento significante e que significa, precisamente, a doença como verdade imediata do sintoma". Fazer do sintoma um sinal da verdade tornou-se um ideal da medicina: "Para um médico cujos conhecimentos sejam levados ao mais alto grau de perfeição, todos os sintomas poderiam se tornar signos."

Como para a medicina, também para a psicanálise o sintoma é um significante, porém não com significado patológico. É também um sinal, mas não o sinal de uma doença. O sintoma como significante para a psicanálise tem um significado sexual, e, como sinal, o sintoma é um sinal do sujeito. O sintoma é a fumaça e o fogo é o sujeito.

O ato médico constitui o saber através do *olhar* clínico, da composição do *quadro* clínico em sua minuciosa descrição, fazendo do visível o enunciado da doença. Ele aproxima assim o ver e o saber, o visível e o enunciável, tendo como resultado a produção da verdade da patologia. Essa clínica visual cede pouco a pouco o lugar a uma clínica ordenada pela anatomia patológica na era de Bichat. Encontrou-se então, como descreve Bichat, "um fundamento enfim objetivo, real e indubitável de uma descrição das doenças: uma nosografia fundada na afecção dos órgãos será necessariamente invariável".

Para a psicanálise, o sintoma não remete a uma doença que tenha algum substrato anatomopatológico, ou seja, não remete a um significado generalizável nem a um significado patológico. Assim, o significado do sintoma tosse de um sujeito, por exemplo, é diferente do que é a tosse para outro sujeito. O sintoma para psicanálise não revela a verdade de uma doença orgânica, o que não quer dizer que não revele uma verdade: trata-se da verdade do sujeito do inconsciente. O que Freud descobre na análise das histéricas é que o sintoma se forma como os processos, ditos normais, do sonho, do chiste e dos lapsos, porque têm exatamente a mesma estrutura. O que faz com que se rompa aí a barreira entre o normal e o patológico. Assim, o significado de um sintoma para a psicanálise não é a patologia.

O sintoma, para a psicanálise, só pode ser considerado patológico por ser referir ao *pathos*, a paixão do sujeito que é paixão sintomatizada pelo sexo, pois o sentido de todo sintoma é sexual. Por outro lado, há um *pathos* como padecimento do sujeito, já que ele padece da estrutura da linguagem.

O sujeito padece da linguagem e do sexo, e o sintoma revela esse duplo padecimento, pois é tecido de linguagem e é a forma de satisfação sexual do neurótico. É surpreendente Freud afirmar que um sintoma como uma tosse, uma paralisia, ou uma idéia parasitária obsessiva, é uma maneira de gozar do neurótico. O sintoma, por remeter em última instância a uma modalidade de gozo, é um destino pulsional que a análise, como decifração do inconsciente, desvela. Daí a paixão pelo sintoma.

O sintoma da afonia de Dora mostra uma satisfação oral ao fantasiar o pai nesse tipo de relação sexual com sua amante, a Sra. K, em quem ela adorava seu próprio enigma de ser mulher. Essa fantasia, que é o significado sexual do sintoma, é propriamente falando patológico, na medida em que o sujeito está padecendo do sexo e tenta, com essa resposta sintomática, responder à interrogação do desejo que se apresenta como desejo do outro.

O sintoma na medicina tem relação com a estatística desde a constituição de sua clínica. Toda vez que se encontrava uma pessoa que tinha um sintoma e morria, fazia-se uma autópsia e descobria-se uma lesão, estabelecendo-se assim a relação entre sintoma e doença. Com isso registrava-se o caso, que entrava na estatística. A psicanálise rompe com a questão da estatística, pois nenhum caso é igual ao outro, o que faz Freud recomendar que em cada análise é toda a psicanálise que deve ser refeita, um caso não servindo de modelo para o outro. O fato de o método estatístico ser totalmente alheio à psicanálise faz com que se questione muito a psicanálise a partir do modelo científico: "como vocês não têm nenhum método estatístico para comprovar a veracidade e eficácia da atuação do psicanalista?" Ora, a psicanálise demonstra que o significado de cada sintoma é sempre particular, sendo necessário construir um saber novo para dar conta daquele sintoma — o que é efetuado a cada vez em uma análise.

Será possível encontrar o mesmo sintoma neurótico em várias pessoas? Só a partir da identificação histérica. É o que Freud descreve na *Psicologia das massas* no caso da jovem que, morando num pensionato, recebe uma carta de rompimento do namorado e tem um ataque histérico. Daí a pouco várias jovens pensionistas apresentam também um ataque. Ocorre uma espécie de contágio do sintoma a partir da identificação, pelo desejo das jovens que também querem ter um namorado que lhes enviem cartas. O sintoma histérico mostra o desejo de desejo, desvela o que é desejar um desejo pela via da identificação. Ao fazerem o mesmo tipo de sintoma da colega, que efetivamente recebeu a carta, é como se elas também tivessem uma relação com um homem, mesmo sendo uma relação epistolar. Qual a verdade desse sintoma? Não é a doença; trata-se da verdade do sujeito como um ser sexuado, como veremos adiante.

O que dá autoridade à medicina para se fazer passar como uma ciência — e isso cada vez mais hoje em dia — são as provas, em particular, as provas anatomopatológicas, químicas e neuronais. Encontra-se cada vez mais aparelhos para comprovar essa relação do sintoma com a doença e, cada vez mais, se vêem pílulas para a potência, hormônios para os sintomas subjetivos do climatério, remédios contra a depressão etc. que tentam fazer passar aquilo que é do âmbito psíquico para o protótipo médico de relação do sintoma com a doença. A cognominada doença depressiva passou a designar, nesses últimos anos, o estado de tristeza, de desânimo, ou até mesmo de mau humor como um efeito do aumento ou diminuição de neurormônios. Por outro lado, a medicina, aliando a ciência ao capitalismo, cria também novos sintomas, como descrevemos no adendo deste capítulo.

Assistimos ao desenvolvimento da medicina tentando encontrar cada vez mais provas científicas para estabelecer essa relação na qual o sintoma remete a um significado único, generalizável, universal do qual se teria sua fórmula — sua fórmula do real. É o que confere cientificidade à medicina, onde vamos encontrar o real da ciência do lado do sintoma: desde a prova de anatomia patológica até a fórmula matemática. Mas, na própria medicina, sabemos que isto nem sempre é encontrado, muito menos na psiquiatria. Há algo no corpo que resiste a ser totalmente apreendido pela ciência, pois o corpo não está desvinculado do inconsciente e da pulsão e seu real não corresponde ao real da ciência.

Freud, de certa forma, tentou ir atrás do real derradeiro que comprovasse a veracidade do sintoma, inicialmente dentro do ideal de ciência. Sua prova, porém, não era a autópsia, e sim a prova do trauma que se encontra na origem causal dos sintomas. No caso do "Homem dos Lobos", Freud chegou até a encontrar o dia e a hora exata em que o sujeito teria se confrontado com a castração e com a diferença dos sexos. Buscava, portanto, encontrar o ponto traumático do sujeito em uma cena que ele realmente tivesse vivido, a qual seria a base real do sintoma. Ora, o trauma, como um real vivido, foi na psicanálise o equivalente analógico da autópsia na medicina, em que era desvelado o real da doença. Mas enquanto a ciência foraclui o sujeito, a psicanálise faz valer o sujeito no sintoma, considerando ele mesmo como uma manifestação subjetiva.

Freud veio a concluir que só era possível inferir ou supor esse trauma, o que o fez passar da teoria universal do trauma à teoria da fantasia particular que se encontra na base do sintoma. Essas cenas, por serem da ordem da fantasia, nem por isso deixam de ser traumáticas, pois fazem parte da realidade psíquica do sujeito. Freud abandonou a busca de um real histórico que pudesse realmente mostrar a origem do sintoma sem, no entanto, recuar diante de um outro real, sempre traumático, que é a castração para ambos os sexos. Por outro lado, dentro do ideal cientificista da sua época, ele manteve a esperança de que, quem sabe um dia, as ciências iriam descobrir uma base, um substrato anatomofisiológico de um real orgânico para as teorias que estava desenvolvendo. Para além dessa esperança, Freud de fato abandonou seu projeto cientificista, conservando para a psicanálise tanto a exigência de transmissibilidade própria da ciência quanto a referência ao real dentro da sua teoria do sintoma.

O sintoma-verdade

Se o sintoma para a psicanálise não é a verdade da doença, como na medicina, nem por isso ele deixa de falar a verdade: o sintoma fala a verdade do sujeito. Eis uma grande diferença da interpretação da verdade do sintoma. O sintoma faz sofrer, ele é como uma barreira na estrada, que você esbarra e não consegue ultrapassar; é o que faz com que as coisas não funcionem. O sintoma é o lugar do sofrimento que proporciona satisfação sexual para o neurótico sem que ele o saiba. É um lugar que contém uma verdade para o sujeito, e, dependendo da interpretação que ele lhe der, procurará um médico ou um analista, ou ainda um padre ou um pai-de-santo.

Ao interpretar esse sintoma como algo da ordem orgânica, ele tende a procurar um médico, mas caso interprete como algo de uma verdade desconhecida que o questiona e da qual ele gostaria de saber, ele pode vir a procurar um analista. Nesse caso, seu sintoma tem algo da verdade que a psicanálise pode resgatar. O sintoma aparece, então, como um monumento da verdade que o sujeito deve decifrar. Vimos no caso de Jean-Louis a verificação na clínica do sintoma (no caso, um ato sintomático) como "retorno da verdade em uma falha de um saber", no qual a verdade do sujeito dividido em relação ao outro sexo retornava nas situações em que corria risco de vida, evidenciando assim a falha do saber médico.

A abordagem do sintoma pela via da verdade do sujeito, tal como a psicanálise propõe, se opõe a uma clínica da ciência que objetiva o sintoma para produzir mais uma fórmula que receba o V da verdade e da vitória no processo de colonização do real pelo simbólico. A ciência foraclui a verdade do sujeito por se interessar apenas em formalizar objetos. Ela transformou a verdade em uma letra (V) que não só permite a constituição de "tabelas de verdade" dos conectores lógicos, como também a multiplicação de objetos fabricados, como objetos de verdade, "latusas",[4] que se apresentam a nós como candidatos a objetos do desejo. Na ciência, a verdade não é só objetividade; trata-se da verdade formalizada. Mas esquece-se, como lembra Heidegger em "Alétheia", que a subjetividade faz parte de toda a objetividade.[5] É no registro da verdade do sujeito e da subjetivação da verdade que se situa a ética que se vincula à clínica psicanalítica na abordagem do sintoma.

O "sintoma", diz Lacan, "é o significante de um significado recalcado da consciência do sujeito. Símbolo escrito na areia da carne e no véu de Maia, ele participa da linguagem pela ambigüidade semântica que já sublinhamos em sua constituição".[6] O sintoma-símbolo indica sua constituição metafórica como, por exemplo, a balança é o símbolo da justiça desde os antigos egípcios. O sintoma é um símbolo da verdade do sujeito que não é indelével, pois está escrito na "areia da carne", sendo portanto movediço. Para lê-lo é, no entanto, necessário saber ler na areia, pois ele está à vista e não enterrado. Assim como também não está sob, mas sobre o véu de Maia. Essa expressão é utilizada por Schopenhauer (a partir do deus hindu Maia que representa a ilusão) para designar o mundo fenomênico das aparências e das percepções que, para ele, seguindo uma tradição filosófica iniciada por Platão, se situa em oposição ao mundo escondido que seria o verdadeiro, o mundo em si. O sintoma escrito no véu de Maia está na cara, mas a sua verdade é escamoteada na medida em que sua constituição utiliza a propriedade de equivocidade do significante.

Mas de que verdade se trata? Em "Sobre a essência da verdade",[7] Heidegger começa criticando a definição da verdade como uma adequação da coisa ao conhecimento. Será que a verdade é conhecermos uma coisa? E, ao conhecer essa coisa, vamos depreender sua verdade? A verdade de uma proposição sobre a coisa é fundada na verdade da coisa? Heidegger questiona a relação entre a proposição sobre a coisa e a própria coisa. O que permite afirmar que essa relação é verdadeira e sem ambigüidade? A formulação que afirma que a proposição corresponde exatamente à coisa decorre da fé cristã e da idéia teológica segundo as quais as coisas em sua essência e existência correspondem a uma idéia previamente concebida. Mas concebida por quem? Pelo *intellectus divinus*, isto é, pelo espírito de Deus. "Assim, elas (as coisas como criaturas singulares) concordam com a idéia e com ela se conformam, sendo nesse sentido 'verdadeiras'." Deus seria então o garante da relação do conhecimento com a coisa. Trata-se, portanto, de uma verdade garantida por um Outro que estabeleceria esta relação. Mas sabemos com Lacan que "o verdadeiro só depende de minha enunciação, não é interno à proposição",[8] e tampouco existe esse Outro que daria garantias de qualquer coisa que seja.

À concepção da verdade que refletiria a correlação entre a proposição e a coisa, Heidegger opõe uma definição da verdade a partir da própria etimologia da palavra *alétheia* (verdade) que é composta do "a" privativo e *"leteia"* que vem de *léte*, velamento, ocultação. A tradução da verdade como não-velamento ou desvelamento mostra que a verdade contém tanto o desvelamento quanto o velamento. Em outros termos, a verdade é velamento e sua negação. Em seu texto "Alétheia", Heidegger a traduz por não ocultamento, que é o "traço fundamental do que já apareceu e deixou atrás de si o ocultamento". Partindo do comentário de fragmentos de Heráclito, ele se detém no fragmento 123 — que assim traduz: "O emergir (fora do esconder-se) favorece o esconder-se", para acentuar que o esconder-se apraz ao desvelar-se e que a emergência como desvelamento de si mesmo conserva o esconder-se: é o esconder-se que garante seu ser ao desvelar-se. Heidegger chega à conclusão, nesse texto, que o "desvelamento não somente não exclui jamais o velamento, mas necessita deste para mostrar (*déployer*) seu ser tal como é, ou seja, como des-velamento".[9]

Em "Sobre a essência da verdade" podemos ler: "a ex-sistência do homem historial começa naquele momento em que o primeiro pensador é tocado pelo desvelamento do ente e se pergunta o que é o ente. Nessa pergunta, o ente é pela primeira vez experimentado como desvelamento". Com efeito, verificamos na clínica que a pergunta "O que sou?", a que chega o sujeito em análise —, até mesmo ao iniciar uma análise — se dá na dimensão da verdade em seu jogo de desvelamento/ocultamento. "A verdade é o desvelamento do ente graças ao qual se realiza uma abertura." Mas o desvelamento total é da ordem do inconcebível, do indisponível, pois o "velamento recusa o desvelamento à alétheia". E, através do velamento como não desvelamento, Heidegger aproxima a verdade da não-verdade, ou seja, da mentira, que pertence portanto à essência da verdade. E o que se encontra na origem não é a verdade, mas o velamento do ente em sua totalidade, "não-verdade original" que é "mais antiga do que toda revelação de tal ou tal ente". Essa *não-verdade original* é correlata do *proton pseudos* (primeira mentira), evocada por Freud no "Projeto" ao descrever a psicopatologia como a base do sintoma histérico e que assinala a incompatibilidade do sexo com a linguagem.

O velamento é dissimulado. A dissimulação do que está velado constitui, segundo Heidegger, o *mistério* que não só faz parte da verdade, mas domina o Ser-aí (*Dasein*) do homem. Esse mistério, porém, é passível de esquecimento, apesar de não ser eliminado por ele. Esquece-se que há algo velado, pois o velamento está dissimulado. Na clínica, a emergência desse mistério, ao qual Heidegger se refere, corresponde à suspensão de seu esquecimento, que propicia a abertura à interrogação e ao enigma do desejo que leva ao deciframento do inconsciente.

Heidegger encontra essas características da *Alétheia* no *Logos,* que ele acaba identificando à própria verdade como des-velamento. Eis o que podemos ler em seu artigo "Logos": "O desvelamento é a *Alétheia.* Esta e o *Logos* são a mesma coisa. O *Legein* (o dizer) deixa o não-escondido estender-se diante, como não-escondido. Todo desvelamento extrai a coisa presente do ocultamento. O desvelamento necessita o ocultamento. A *A-letheia* repousa na *Lethé* (velamento), nela bebe, coloca adiante o que por ela é mantido retraído. O *Logos* é nele mesmo simultaneamente desvelamento e velamento. Ele é *Alétheia.*"[10] Podemos aqui justapor no dizer de Lacan que a "linguagem do homem, esse instrumento de sua mentira, é atravessado inteiramente pelo problema de sua verdade".[11]

A concepção heideggeriana de Lacan faz a verdade falar pela boca de Freud em "A coisa freudiana". "Sou para vós o enigma daquela que se esquiva tão logo aparece, homens que tanto consentis em dissimular sob os ouropéis de vossas conveniências."[12] A verdade do inconsciente é tributária da linguagem, pois a descoberta do inconsciente (estruturado como uma linguagem) é a descoberta da verdade que está em jogo nos sonhos, nos lapsos, nos chistes e nos sintomas e que não deixa, no entanto, de continuar encoberta. O umbigo do sonho é um dos nomes do encobrimento estrutural da verdade, que é devido em última instância ao recalque originário. A verdade é não-toda.

Mas a verdade, ela mesma, pode ser desvelada, o que no entanto não é nem espontâneo, nem intuitivo, sendo necessária a elaboração de um saber para apreendê-la. "O efeito de verdade, que se desvela no inconsciente e no sintoma, exige do saber uma disciplina inflexível para seguir seu contorno, pois esse contorno vai no sentido inverso ao de intuições muito cômodas para sua segurança."[13] Diferentemente do conhecimento, que se situa no plano do imaginário e implica o desconhecimento e o não-reconhecimento (duas acepções do termo *méconnaissance*), o saber da psicanálise se situa no registro simbólico e implica conceitos e matemas, elaboração e construção. O que está bem distante do conhecimento intuitivo, perceptivo, imaginário.

No "Seminário sobre A carta roubada" Lacan opõe dois métodos para se resolver o enigma policial do lugar em que se encontra a carta-letra que voou, desapareceu, se furtou (*lettre volée*). Um deles é o dos policiais — o método da *exatidão* —, que consiste em um esquadrinhamento do espaço, o qual é transformado em seu objeto de busca. Eles não deixam escapar nenhum oco, nenhuma fresta dos móveis, do assoalho, das encadernações dos livros. Situando-se no âmbito da *parte extra partes*, do espaço cartesiano (a *res extensa* complementar à *res cogitans*), eles procuram por toda parte e não a encontram em parte alguma. E, no entanto, lá está a carta pendurada entre outras, na borda da lareira do gabinete do ministro; à vista de todos, porém dissimulada, maquiada, travestida. Os policiais a vêem, mas não a apreendem devido à sua "imbecilidade realista", como Lacan qualifica a subjetividade que corresponde a esse método.[14]

Oposto à exatidão, Dupin se situa no registro da verdade e, sem nada vasculhar, apreende a carta e a toma do ministro. Ele a depreende ao estudar as circunstâncias do furto e a subjetividade do ministro, que se encontrava tocado por um traço de feminização que transparece no sobrescrito modificado da carta em questão. A carta com *odor di femina*, com outro sinete e outro lacre, estava na cara, porém escondida não aos olhos de Dupin, e sim aos olhos dos policias cegos pelo realismo da exatidão. Trata-se da mesma carta que não é mais a mesma, mas não deixa de sê-lo. Ela está ausente mas não deixa de estar presente. O que lhe confere seu ser de presença na ausência que é a propriedade do significante com a qual a verdade comunga: *Logos* e *Alétheia* estão no registro do velamento, desvelamento. Mas para apreender o enigma da verdade é necessário tomar o que se diz ao *pé da letra* e seguir a disciplina do significante.

Dupin desvela o que estava velado (onde se encontra a carta), mas o conteúdo da carta continua velado, a carta não se diz toda. Ao tomarmos essa indicação para o sintoma, podemos dizer que o sintoma manifesta uma verdade que está na cara, apesar de velada, mas ao ser desvelada jamais é inteiramente apreendida. Aliás, é isso que proporciona uma das grandes frustrações da análise: quando a verdade passa de seu status do semi-dizer aos ditos que a contornam, ela continua sem ser totalmente apreendida. A psicanálise diverge assim de qualquer método iniciático ou religioso que se pretenda a uma revelação final.

A radicalidade da não-resposta à demanda — daí a frustração — implica no fato de que, no fim das contas, não se tem acesso inteiramente à verdade. O analista não desvela inteiramente a verdade do sintoma não porque esta esteja recalcada, mas por ser impossível dizer toda a verdade. A impotência do sujeito em conhecer sua verdade e, por conseguinte, a verdade do sintoma revela-se no final como impossibilidade estrutural imanente à questão da verdade. Por mais que o sujeito diga — e diga bem — sua verdade, a estrutura permanece a mesma, ou seja, da ordem do semi-dizer da verdade. A interpretação analítica, como arma contra o sintoma, deve ter essa mesma estrutura, só podendo portanto ser semi-dita. A ética da psicanálise no registro sintomal pode assim ser resumida: passar do semi-dizer do sintoma ao bem-dizer o sintoma, como desenvolveremos adiante.

A verdade do sintoma é correlativa à própria estrutura do inconsciente, ou seja, por mais que ele seja dito (decifração do sintoma), algo dele permanecerá na ordem do não-dito. O recalque primário é uma face da verdade do sintoma, compreendido como velamento-desvelamento. A mentira é uma das faces do velamento, por conseguinte outra cara da própria verdade. A seguir, veremos que o sintoma também pode mentir.

A verdade tributária do inconsciente, que vagabundeia no campo da linguagem e se desloca furtiva na fala, tem a estrutura desvelada no chiste da Cracóvia comentado por Freud. Diz um passageiro para seu conhecido ao se encontrar na estação de trem: "Por que mentes para mim dizendo-me que vais à Cracóvia para que eu creia que estás indo a Lemberg quando, na realidade, é à Cracóvia que vais?". A verdade nos fornece sua pista lá mesmo onde ela nos despista. Isso é notável na marca da indiferença do sintoma histérico, quando é justamente aí que o sujeito manifesta sua diferença: no real do sexo, lá onde o gozo se mostra implicado em sua verdade.

O "efeito de verdade culmina num velamento irredutível em que se marca a primazia do significante, e sabemos pela doutrina freudiana que nenhum real participa mais dele do que o sexo".[15] A primazia do significante sobre o significado — que faz a significação sempre recuar, e que constitui a equivocidade estrutural da linguagem — marca na própria fala a irredutibilidade do véu da verdade. Por outro lado, ao vincular Heidegger a Freud,

Lacan aponta a articulação da verdade linguageira com o real do sexo, o que podemos figurar utilizando os círculos de Euler: a verdade se encontra na interseção entre o simbólico e o real, onde podemos situar o padecimento do sujeito do sexo e da linguagem. Este padecimento Freud o nomeou de castração (φ).

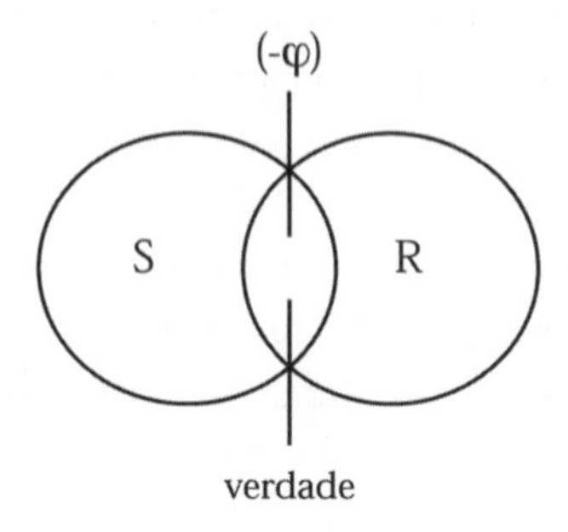

A castração, diante da qual o sujeito se divide, é um elemento universal para o ser falante, fonte da verdade sobre a qual ele não quer nada saber. O sujeito, indica-nos Lacan, transfere o *nada-de* (o *pas*) do *nada-de-pênis* (o *pas-de-pénis*) — que é a verdade da castração com a qual ele se defronta ao descobrir o Outro sexo — para o saber, o que resulta num *nada-de-saber* (*pas-de-savoir*) sobre a verdade da castração.[16] Essa negação do saber pode se declinar em recalque, desmentido e foraclusão, como as negações estruturais à verdade da castração. Aquilo que é da ordem da angústia, relativa à castração, se transforma num problema epistemológico, ou seja, relativo ao saber, ou melhor ainda, ao não-saber.

A verdade do sujeito como castração não é uma definição positiva e sim uma definição em negativo, que poderíamos desdobrar a partir de uma declinação desse "*nada-de*". Ele incide na relação entre os sexos, significando que não há relação sexual: *nada de* complementaridade entre os sexos. *Nada de* se encontrar o parceiro ideal, *nada de* garantia da integridade do pênis, *nada de* completude do gozo, *nada de* tudo saber etc. Trata-se do *nada-de* que indica o ponto de falta próprio à verdade do sujeito, ponte que corresponde ao irredutível do velamento. É verdade que existe uma falta no Outro como um universo de linguagem: S(Ⱥ), o que nos leva a concluir que não há universo. No imaginário, o ponto da verdade do sujeito corresponde ao matema (-φ), ou seja, a evocação da falta para o sujeito que se expressa como angústia de castração para o homem e *penisneid* para a mulher. *Spaltung* é o nome, para o sujeito, de seu ponto da verdade.

Como esse ponto da verdade se manifesta no sintoma?

Tomemos como exemplo uma das idéias obsessivas do Homem dos Ratos, distinta da principal, que é aquela relativa à dívida relacionada ao suplício dos ratos infligido à dama e ao pai. Essa outra idéia se formula na seguinte frase: "Se eu vir uma mulher nua, meu pai morre." Ela tem a característica da idéia obsessiva de fazer o sujeito querer e não querer, desejar e anular seu desejo, pois este vem acoplado a uma sanção, expressando assim a divisão do sujeito. Podemos fazer dessa frase-sintoma uma equação ao desdobrá-la em duas proposições e ligá-las com o conector lógico da implicação:

Ver uma mulher nua — x
Meu pai morre — y
$[x \rightarrow y]$

Na decomposição desse sintoma, vemos a articulação do desejo com a lei manifestando então aquilo que ele deseja como uma proibição. Trata-se de uma lei que proíbe aquele desejo e ao mesmo tempo o sustenta, pois o desejo e a lei não estão desvinculados no neurótico, sendo uma só coisa. Ao desejar, o sujeito encontra uma figura da castração — a morte — incidindo numa pessoa querida, no caso o pai. Essa articulação do desejo com a lei, e sua sanção de castração, verifica a verdade do sintoma: o sintoma-castração. Nesse sintoma do Homem dos Ratos, depreendemos claramente a própria estrutura do complexo de Édipo. Ao substituir, nessa frase do sintoma, mulher por mãe encontramos exatamente a ficção edipiana de matar o pai e gozar da mãe. Vemos aí a articulação da angústia com o desejo, que faz com que o sujeito, particularmente o sujeito obsessivo, utilize o recurso da anulação em relação ao seu próprio desejo, evidenciando a verdade de sua divisão.

Na histeria, a divisão do sujeito é mais evidenciada, pois incide, classicamente, no corpo — como no caso descrito por Freud do ataque histérico, que é outro exemplo de manifestação da verdade-castração. Trata-se de uma mulher que em pleno ataque histérico levanta a saia com uma mão e com a outra a abaixa, representando simultaneamente o homem (que está assediando-a sexualmente) e ela mesma se defendendo. Nesse sintoma agudo, que é o ataque histérico, aparece a divisão do sujeito que deseja aquilo contra o qual ele se defende, manifestando aí a verdade do sujeito. A própria definição do sujeito implica essa divisão (homem e mulher, agressor e agredido, sedutor e seduzido) expressa no sintoma. A divisão do sujeito é incurável, pois nada mais é do que o correlato da castração. O sujeito é castração. Eis o ponto de verdade presente em todo sintoma.

A descoberta freudiana é a descoberta do poder da verdade das formações do inconsciente. Trata-se de um poder que se opõe ao poder do comando, ao poder do S_1, do Um do imperativo; é o poder da hiância atrelado à falta e que se manifesta na divisão subjetiva. Esse é o poder do sintoma que desafia o saber da ciência.

O sintoma-mensagem

De que maneira a verdade do sintoma se manifesta para o sujeito? Como uma mensagem cifrada do Outro cujo significado ele deve decifrar. O sintoma, por ser de tecido linguageiro, ao ser decifrado, desvela sua relação com os significantes originários do Outro (aqueles que constituíram o Outro do desejo para o sujeito, pai, mãe, avô e qualquer outra pessoa importante na constituição de seu desejo como desejo do Outro). O que Lacan nos aponta com sua tese "o inconsciente estruturado como uma linguagem" é menos a importância daqueles que ocuparam esse lugar do que aquilo que eles disseram, os significantes que constituem o sintoma do sujeito. Daí o sintoma ser um monumento histórico, um marco da história do sujeito — ele é uma mensagem histórica da alienação do sujeito aos significantes do Outro.

Um analisante tinha como idéia obsessiva o medo de morte de um parente próximo. Quando alguém de sua família viajava, fosse filho, esposa ou mesmo alguém próximo, ele tinha medo de que essa pessoa morresse. A morte desse ente querido não lhe saía da cabeça, insistindo de modo compulsivo. No deciframento desse sintoma, foi desvelado que seu pai vivia dizendo repetidamente "que morra", durante sua infância. Ele dizia "morra" praguejando em relação a qualquer pessoa, inclusive em relação ao filho, que é o analisante em questão, que interpretava essa interjeição de raiva como um voto que ele tomava para si. Encontramos nesse sintoma o significado que ele dava a essa palavra do pai. O sintoma como uma mensagem do Outro implica os significantes do pai como um nó de significação. Quando era pequeno, disseram-lhe que seu pai fora viajar, mas, na verdade, tinha ido para a guerra. Quando voltou tratou-o muito mal, com secura e severidade, provocando-lhe desejo da morte do pai, expresso no voto de que teria sido melhor que ele não tivesse voltado da viagem. Pensamento que foi recalcado e posteriormente, quando do desencadeamento da neurose, deslocado para a idéia obsessiva atual. Eis a mensagem do sintoma que articula os significantes *morte* e *viagem* em relação a parente próximo. Seu sofrimento é derivado da culpa (sanção) pelo *Wunsch* da morte do pai. A sanção é a expressão da verdade do sujeito-castração dividido entre dois significantes e dois desejos: vida e morte. Este exemplo demonstra que o sintoma-mensagem é um memorial do Outro, é uma modalidade do sujeito fazer existir o Outro com seu sentido.

O sintoma-mensagem faz o sujeito crer que o Outro não é barrado, que ele é o pai, por exemplo, e não que se trata apenas de significantes. O sintoma, significado do Outro, s(A), confere portanto ao Outro um sentido sintomático (cf. o grafo do desejo). No sintoma, o sujeito recebe sua própria mensagem de forma invertida como que vinda do Outro (cujo discurso é o inconsciente) — daí a alteridade do sintoma que o sujeito experimenta.

O sentido do sintoma

Qual é o sentido do sintoma? Em primeiro lugar, ao considerar o sintoma como significante encontramos o seu correlato de significância (pela propriedade do significante de antecipar a significação e precipitar o sentido) que é o significado, o que faz Lacan apresentar o sintoma como metáfora — cuja fórmula, $f\left(\frac{S}{S_1}\right) S \cong S + s$ já comentada anteriormente mostra que o significado é um outro significante e que, por ser metafórico, o sintoma apresenta um efeito de sentido que atravessa a barra do recalque. Em suma, a primeira coisa a constatar é que o sintoma tem um sentido. E é isso que, ao ser constatado, leva alguém a procurar saber qual é o seu sentido. Esse sentido, no entanto, não é propriamente um sentido *a priori*, é o "sentido emergente que ele toma em uma análise".[17] Em segundo lugar, como no caso do analisante que temia a morte de parente próximo, o sentido do sintoma é o sentido que o sujeito atribui aos ditos do Outro, que ele interpreta como desejo do Outro. Pois o sintoma, como vimos no capítulo anterior, é uma resposta ao *Che vuoi?* do Outro.

Mas, na verdade, o sentido do sintoma, prossegue Lacan, é "o sentido do significante que conota a relação do sujeito com o significante". Um significante conotando a relação do sujeito com o significante pode ser a própria definição do sujeito do inconsciente, representado por um significante para outro significante $\frac{S_1}{\$} \rightarrow S_2$. O sujeito está conectado com a cadeia significante através do sintoma considerado como um significante. Essa definição aponta a estrutura de linguagem do inconsciente presente no sintoma, despatologiza-o e faz aparecer o sujeito como falta-a-ser: o sujeito nada mais é do que essa representação sintomática dentro da cadeia dos significantes.

Uma senhora decide empreender uma análise por não conseguir viajar de avião — temor que sempre sentiu e que agora a está incomodando por tê-la feito perder várias oportunidades de viajar e conhecer outros lugares fora do Brasil como sempre desejou. Na análise, emerge o significante "sem saída" como denominador comum de várias situações nas quais sobrevém uma crise de angústia (ou um grande temor antecipatório de sentir angústia) em: elevadores, túneis, aviões e em salas fechadas onde não se vê a saída. No deciframento desse sintoma, veio à luz que durante toda sua infância e juventude ela morou em uma rua sem saída até o momento de sair de casa para casar, quando então sentiu grande dificuldade em se separar do pai, tendo a impressão de estar só, abandonada e sem proteção. Sensação que só piorou com a situação do marido irresponsável e incapaz de fazer barreira de proteção a seu desamparo. "Sem saída" é o significante fóbico que delimita sua geografia desejante. Sua análise trouxe a lembrança da infância de uma perigosa queda de um barranco num momento em que estava sozinha. A articulação da cadeia significante "sem saída-pai-cair" trouxe a elucidação do sintoma: ser deixada cair pelo pai = encontrar-se em uma situação sem saída. Por outro lado, paradoxalmente *sem saída* é uma forma de retornar à casa paterna e à proteção do pai. O significante do sintoma é o que conota a relação do sujeito com a cadeia significante de seu desejo. Esse exemplo mostra que o sintoma faz função do Nome-do-Pai, vindo suprir a carência paterna e sustentando seu desejo como um desejo advertido. O sintoma adverte o sujeito com o semáforo vermelho de perigo que a angústia sinaliza.

"O sentido do sintoma" é o título de uma das Conferências introdutórias à psicanálise de Freud, na qual ele associa esse sentido à "vida íntima do sujeito", demostrando, como veremos adiante, que o sintoma é uma maneira de gozar do sujeito. O que primeiro chama a atenção é que, para se referir ao sentido do sintoma, Freud não faz apelo à histeria, e sim à neurose obsessiva em mulher. Isto por que o sintoma obsessivo evidencia mais a vertente de gozo do sintoma do que o sintoma histérico, o qual evidencia mais o aspecto de formação do inconsciente com seu significado de desejo, expressão da divisão do sujeito.

O sintoma histérico está para o desejo como o sintoma obsessivo está para o gozo. O sintoma histérico manifesta mais a insatisfação do desejo, ao passo que o sintoma obsessivo é mais apropriado para salientar o gozo e seu impossível de suportar. No matema do discurso histérico, Lacan, no seminário 17, identifica o próprio sujeito dividido com o sintoma que, com seu desejo, provoca a elaboração de saber por parte do mestre. Podemos apreender essa distinção, em "Psiconeuroses de defesa", de 1889, onde Freud diferencia o primeiro encontro sexual na histeria e na neurose obsessiva. Na histeria trata-se de um encontro conotado com menos de gozo, ou seja, mais para o lado da falta e do desejo; já na neurose obsessiva esse encontro é marcado por um a-mais de gozo, um excesso de gozo. Eis por que nessa conferência introdutória sobre o sentido dos sintomas, Freud descreve dois casos de neurose obsessiva, dentre os quais destacamos um curioso ato compulsivo com valor de sintoma, para demonstrar o sentido de gozo do sintoma.

Trata-se do caso de uma moça que em sua própria casa, quando estava em seu quarto, saía correndo para um quarto ao lado do seu e de repente voltava para seu quarto colocando-se na frente de uma mesa. Em seguida tocava a campainha e, quando vinha a empregada, dava-lhe uma ordem trivial qualquer e tornava a fazer todo esse circuito várias vezes. Freud considera esse comportamento um ato sintomático. Qual o sentido que essa mulher dá a este ato? Pela análise, revelou-se que esse ato significava a repetição da cena que havia ocorrido em sua noite de núpcias. Quando se casou, ela e seu marido foram passar a noite de núpcias em dois cômodos separados porém contíguos. Ela ficava em um cômodo e o marido em outro, enquanto aguardava a chegada do marido para que ocorresse o que ela ansiava. Mas o marido nada consegue. Ele tenta uma vez, não consegue, e volta para o quarto dele. Daí há pouco, ele volta para o quarto dela e tenta de novo, mas sem sucesso. E a cena se repete a noite toda: o marido indo e vindo e não conseguindo nada, numa grande frustração para ambos. Eis a noite de núpcias. Na madrugada desse vaivém, o marido confessa ter vergonha da empregada que no dia seguinte faria a cama e não encontraria manchas de sangue como prova de sua virilidade (a defloração da moça). Pega então um tinteiro que havia no cômodo e verte a tinta no lençol para fingir que teria havido uma relação sexual. Freud nota que ele acaba fazendo a mancha de sangue no lugar errado, ou seja, de uma certa forma o marido se desmente, denunciando sua impotência.

Neste ato sintomático, a paciente repete a cena de sua noite de núpcias, porém no lugar do marido. Identificada com o marido por meio do sintoma ela fica correndo de um quarto para outro. No ato sintomático, ela chama a empregada e se coloca diante da mesa num lugar tal que a empregada possa ver uma mancha que se encontra na toalha da mesa. Ela faz a empregada ver a mancha que remete à mancha falsa feita pelo marido, corrigindo a cena da noite de núpcias ao fazer acreditar ter havido relação sexual lá onde não ocorreu. O sintoma é o memorial desse desencontro sexual, é o retorno da verdade de que não houve relação sexual, a manifestação da verdade da castração. Mas por outro lado o sintoma mente, porque faz crer que há relação sexual. Se, por um lado, o sintoma como retorno da verdade aponta a castração (memorial do desencontro sexual), por outro lado, ele mente ao fazer acreditar que não houve impotência da parte do marido. Esse exemplo paradigmático permite-nos generalizar e propor que o sintoma vem suprir a relação sexual que não pode ser escrita na estrutura $\frac{\Sigma}{\not{RS}}$. O sintoma ocupa, portanto, a função de suplência da relação sexual de complementaridade entre os sexos. Nesse sentido, podemos dizer com Lacan que o sintoma, como aparece nesse caso, é um parceiro sexual do sujeito.[18] O gozo, aí encontrado, não pode ser experimentado de outra forma senão pela via sintomática. Eis o sentido (*sens*) do sintoma: é o sentido de gozo (*jouissance*).

Podemos apreender o sentido do sintoma de pelo menos de duas maneiras:

1. O sentido significante. Como no exemplo acima, o sentido do ato sintomático da obsessiva freudiana é a cena da noite de núpcias: a primeira cena dá o sentido à segunda cena. Chamemos de S_1 a noite de núpcias, de S_2 o ato sintomático e verifiquemos como uma cena se conecta com a outra produzindo o sentido.

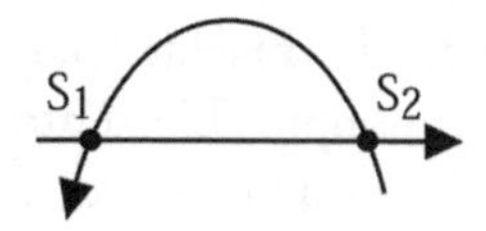

2. Em termos libidinais, o sentido do sintoma é um sentido de gozo (*joui-sens*). O sentido do sintoma é o real que comporta o impossível de se escrever a relação sexual. O sentido do sintoma é esse real, como estudaremos a seguir, pois o sentido, do sentido no final das contas, é que ele vaza como o tonel das Danaides.[19] O sentido está sempre vazando, escapando, pois não há um sentido final; sempre se é possível atribuir-se sentido, pois, ao se chegar a ele percebe-se que é furado. Em última instância, o sentido do sintoma é o real do gozo como aquilo que não pode ser escrito.

O sintoma-compulsão (*Zwang* – Σ)

Para evidenciar a articulação do sintoma com a pulsão em sua vertente de gozo, vamos recorrer ao *Zwang* presente tanto no inconsciente (como compulsão à repetição) quanto no sintoma, principalmente no sintoma obsessivo.

Em 1896, Freud elevou à dignidade da neurose uma característica de um tipo de representação. Trata-se de *Zwang*, característica generalizada nos anos 20 em *Para-além do princípio do prazer* como manifestação do poder do recalcado do inconsciente.[20] *Zwangsvorstellung, Zwangsneurose, Wiederholungszwang.* Nessas três expressões, *Zwang* designa o que é obrigatório, imperativo, como se pode encontrar em *Zwangsarbeit* (trabalho forçado), *er tut es nur aus Zwang* (ele só o faz por obrigação), *unter Zwang stehen* (estar submetido a, sob o jugo de). Paralelamente a essa característica de ordem e comando, *Zwang* significa força e pressão, como nas expressões *der Zwang der Ereignisse* (a pressão dos acontecimentos) e *der Zwang der Konvention* (a força das circunstâncias). Esses dois aspectos fazem de tudo o que é *Zwang* uma exigência coercitiva — *eine dringende Forderung*, em que encontramos a conjunção de uma representação, que faz função de mestre do comando, e o *Drang* da pulsão sexual, que exige satisfação. *Obsessão, neurose obsessiva, compulsão à repetição*: em todas as três expressões trata-se de uma articulação entre o simbólico e o real, que faz do significante não uma barreira ao gozo mas seu porta-voz.

O sintoma obsessivo contraria o compromisso que promete, pois, longe de interditar, ele traz o gozo do qual o sujeito gostaria de se separar. A cada remanejamento teórico que Freud faz da etiologia da obsessão, longe de excluir a precedente, ele acrescenta a esta uma característica que nos ajuda a melhor cingir a relação entre o sintoma e o gozo.

A primeira teoria se refere ao período que vai de sua correspondência com Fliess até "O Homem dos Ratos" (1909). Nessa neurose de defesa, sua etiologia está vinculada à conotação de prazer quando do primeiro encontro com o sexo. Quando, mais tarde, sua recordação é evocada, ela vem acompanhada de uma recriminação, e o que era prazer se torna desprazer. Em seguida, recordação e recriminação são recalcadas para dar origem ao sintoma primário da neurose obsessiva: a escrupulosidade. No retorno do recalcado, o afeto da recriminação se vincula a um conteúdo deformado: a idéia obsessiva, que é o sintoma de compromisso. Dividido entre a escrupulosidade que exige que nada seja desarrumado e a idéia obsessiva que faz irrupção na consciência, o sujeito rejeita a crença na obsessão e sua "luta" desemboca na formação de sintomas secundários, como a compulsão ao exame, a ruminação mental, cerimoniais, *folie du doute* etc. Daí Freud afirmar no "Rascunho K" que os obsessivos "são pessoas que correm o perigo de ver finalmente o conjunto da tensão sexual cotidianamente produzida transformar-se em auto-recriminação e daí em sintoma".[21]

A recriminação que acompanha a recordação da experiência sexual de prazer lhe confere *a posteriori* a característica de experiência proibida. Ela é a expressão da lei que marca o gozo como proibido, e seu retorno, mesmo disfarçado, é o memorial dessa transgressão que faz um apelo a uma sanção. A obsessão traz, ao mesmo tempo, a Lei e sua transgressão, o gozo e sua condenação. Em "Novas observações sobre as psiconeuroses de defesa", diz Freud: "As obsessões são invariavelmente recriminações transformadas que retornam fora do recalque e se referem sempre a uma ação sexual da infância efetuada com prazer." A obsessão como sintoma faz, portanto, função de

Nome-do-Pai como representante da Lei simbólica que barra o gozo *e*, simultaneamente, expressa a maneira de um sujeito gozar de seu inconsciente. A obsessão nos mostra assim as duas características do sintoma depreendidas por Lacan: como Nome-do-Pai e maneira de gozar do inconsciente.[22]

A obsessão não é portanto um compromisso no qual o sujeito possa ter confiança. Muito pelo contrário, é uma defesa fracassada, o que obriga o sujeito a encontrar medidas de proteção que também serão um fracasso. A formação perpétua e contínua de sintoma é uma característica da neurose obsessiva.

Quanto ao Homem dos Ratos, Freud remete a origem de seus sintomas ao conflito entre o amor e o ódio no que diz respeito tanto a sua amada quanto a seu próprio pai, os dois confundidos. O amor por um é acompanhado do ódio pelo outro. Esse ódio, correspondente ao componente sádico do amor, é recalcado mas força sua irrupção trazendo a dúvida sobre o amor, a qual se estende, por deslocamento, a toda atividade do sujeito, levando-o a uma incerteza generalizada. A repetição das obsessões e dos cerimoniais surge então para banir essa incerteza, a qual concerne, no fundo, ao êxito da defesa contra o ódio do Outro. Para se defender do ódio do Outro no sentido subjetivo (seu ódio contra o pai), o sujeito, graças ao retorno da pulsão em direção a ele mesmo, é levado a ser o objeto do Outro do ódio — o que será tematizado por Freud na segunda tópica. O ódio do Outro é uma face do *Wunsch* inconsciente de morte do Outro, desejo ligado à impossibilidade de passar para a palavra e no entanto presente nos insultos infantis ("Sua lâmpada! Sua toalha! Seu prato!" — como xingava o Homem dos Ratos a seu pai) e nas blasfêmias que se introduzem como que sem querer nas orações de louvor a Deus. A gentileza do obsessivo e seu comportamento *tudo-para-o-outro* constituem uma formação reativa contra esse ódio, no fim do qual se encontra a morte que o mira. Esse ódio é a expressão, no nível do afeto, da pulsão de morte que visa a destruição, o aniquilamento do Outro. O sujeito toma muito cuidado na sua relação com o outro, como "se devesse prepará-lo para o anúncio da morte de uma pessoa querida", dizia-me um paciente. Seus depoimentos adquirem o aspecto de uma morte anunciada — morte do Outro que ele deseja ao mesmo tempo em que a anula e dela se recrimina.

Freud confere à pulsão escópica um papel essencial na constituição do sintoma da ruminação mental obsessiva: o recalque do voyeurismo e da curiosidade sexual é o responsável pela sexualização do pensamento, que não é outra coisa senão a substituição do ato pelo pensamento. A pulsão de saber derivada da pulsão escópica (o voyeurismo torna-se curiosidade sexual) é particularmente apta "a atrair a energia, que se esforça em vão manifestar por um ato, e desviá-la para dentro da esfera do pensamento, onde existe uma possibilidade de obter uma outra forma de satisfação prazerosa".[23]

Gozar do pensamento é a satisfação que está presente no sintoma da ruminação: gozo escópico que situa o sujeito em um *dar-a-ver.* O sujeito dá a ver para o Outro seu desempenho sexual sob a forma de cogitação. A copulação de significantes substitui o ato sexual colocando à distância o parceiro, que não é assim tocado mas pode ocupar o lugar do espectador de seu desempenho intelectual, performance que é fonte freqüente de angústia.

Em 1913, Freud afirma que a organização sexual sádico-anal é *a disposição* à neurose obsessiva e, em 1917, descobre que é o erotismo anal que estabelece a equivalência entre pênis-bebê e presente-dinheiro devido à "transposição" dessa pulsão, que dá o título ao texto. Essa série de objetos entra em jogo como objetos da demanda do Outro ao sujeito — à qual está suspenso o obsessivo. Nesse plano da demanda, temos a oblatividade: o sujeito dá presentes ao Outro ou se recusa a dar qualquer coisa, refugiando-se na avarice ou na dívida. No plano do gozo anal, o sujeito é levado à obscenidade, ao escatológico, à sujeira própria desse objeto nada limpo, que melhor o figura como dejeto do simbólico. O sujeito tenta recobrir com os significantes da demanda todo vestígio de prazer excedente que ele experimentou no sexo. Esse prazer excessivo, modelado pelo registro anal da pulsão, toma o caráter de gozo sórdido, "porco", "cagado", elevado à categoria de impossível de ser suportado. O *Zwang* do próprio sintoma é portador da satisfação do *Trieb* que ele anula, daí a associação entre o sagrado e o profano, o puro e o impuro, o Pai e o pior, Deus e a merda.

Se Lacan nos advertiu a não acreditar na oblatividade do obsessivo é porque o sujeito tenta recobrir com os significantes da demanda, sob a máscara da generosidade, o ódio pelo Outro do amor, cujo caráter pulsional Freud atribuiu ao registro anal.

Nos anos 20, a articulação entre o isso, reservatório das pulsões, e o mandamento do supereu permite melhor cingir a conjunção entre a pulsão e a representação obsedante, entre o objeto e o significante mestre. Em "Inibição, sintoma e angústia", Freud situa a constituição da obsessão a partir do complexo de Édipo e da angústia de castração. O gozo em jogo é o da masturbação castigada por um "supereu supersevero": a obsessão é seu compromisso. Esse gozo auto-erótico, que faz a economia do Outro sexo, vem à pauta graças à caraterística do sintoma obsessivo de "deixar cada vez mais espaço para a satisfação substitutiva", e o resultado, que vai em direção ao "fracasso completo da luta inicial", é "um eu extremamente limitado, reduzido a buscar suas satisfações nos sintomas". Nesse registro do gozo, a pulsão sádico-anal exige do sujeito atos de crueldade que o supereu condena. "Todo excesso traz em si o germe de sua própria supressão".[24] A obsessão comporta portanto esse traço do paradoxo do supereu que Lacan resume com o imperativo do gozo e cuja fórmula podemos escrever $\left[\frac{S_1}{a}\right]$.[25]

Freud ressalta, nesse texto, o que ele considera o mais importante nos sintomas obsessivos: o "valor de satisfação de moções pulsionais masoquistas". Trata-se da resistência do sintoma a curar, pois ele satisfaz a pulsão de morte. O supereu do obsessivo adquire o aspecto de um Outro gozador, como o capitão cruel ou o Pai da horda primitiva de *Totem e tabu*, que trata sadicamente o sujeito que só pode tomar a posição masoquista em seu sintoma mortificando-se.

Podemos desdobrar a pulsão masoquista que se satisfaz no sintoma obsessivo segundo a declinação das pulsões em oral, anal, escópica e invocante, cada uma apontando para um aspecto diferente e para uma face particular do supereu. No nível oral o sujeito é presa da gulodice do supereu, como transparece nos ditos de um paciente — "Deixo sempre os outros me devorarem cruamente" — que sustentam seu sintoma de impotência diante do Outro da autoridade. No nível anal o sujeito se faz expulsar como um objeto, condenado por suas recriminações, reduzido a esse dejeto sórdido cujo gozo da sujeira ele tenta limpar com os significantes de suas representações obsedantes. Para além do registro da demanda, tanto oral quanto anal, o sujeito se encontra confrontado com o *desejo para o Outro* da pulsão escópica e o *desejo do Outro* da pulsão invocante. O olhar e a voz são os objetos que condensam o gozo do supereu, cujas funções de vigilância e de crítica foram depreendidas por Freud a partir da clínica dos paranóicos desde 1914 em "Introdução ao narcisismo".

A angústia ligada aos desempenhos é o indício da presença do olhar mortífero que mede sem tréguas o sujeito com o ideal. Que ideal? O de limpar o simbólico de todo e qualquer vestígio de gozo. "Eu fico sempre me observando para avaliar meu desempenho" — dizia-me um outro paciente. Aí entra em jogo a "voz da consciência", presentificando a *Drang* da pulsão invocante por meio da qual o sujeito se faz escutar as auto-recriminações. A crítica é feroz e traz satisfação ao masoquismo do sujeito. Ele é o escravo do desejo do Outro, cuja voz imperativa comparece nos mandamentos ritualizados que condensam, simultaneamente, a lei e sua anulação, o gozo e sua impossibilidade. A obsessão é a via sintomática da satisfação pulsional da voz de um supereu que vê.

O conceito de pulsão de morte obriga Freud a generalizar o *Zwang* ao que se repete no inconsciente. *Zwang* é o sinal da pulsão de morte que força os significantes a se repetirem no pensamento e por conseguinte no sintoma. Como diz Lacan no Seminário 11, "*Zwang*, a coação, que Freud definiu pela *Wiederholung*, comanda os próprios rodeios do processo primário".[26] *Wiederholungszwang*, obsessão, compulsão ou automatismo de repetição, não é outra coisa senão a insistência da cadeia significante correlativa à ex-sistência do sujeito. A obsessão é como *The purloined letter*, uma letra colocada de lado, uma carta não retirada (*en souffrance*) mas que volta sempre ao mesmo lugar, pois vem no lugar do real — daí sua característica de dejeto do simbólico: *a letter, a liter.* A repetição no inconsciente é obsessiva — o funcionamento do pensamento exige que o significante se desloque, que ele "deixe seu lugar, nem que seja para retornar a este circularmente".[27]

A obsessão é articulada por Lacan ao *signo* que "produz gozo pela cifra que os significantes permitem ...". A obsessão que cede faz *obcecção* (escrita com *c*) "ao gozo que decide de uma prática".[28] Lacan, portanto, faz da obsessão a própria característica do signo como cifra de um gozo no inconsciente. A obsessão como sintoma é a maneira de gozar para um sujeito cuja dúvida e a falta de certeza impedem seu ato, que é assim sempre adiado para mais tarde (procrastinação). Daí a obsessão, como pensamento, se encontrar em oposição ao ato, onde o sujeito não pensa, tornando-o portanto impraticável. Para que uma prática se torne possível é preciso o ato, que na neurose é impedido pela falta de decisão do sujeito, pois seu gozo está condensado no pensamento que o obseda. Eis por que é preciso que a obsessão faça cessão, ceda o gozo ao ato que será decisivo para uma prática. Em outros termos, é preciso que o gozo passe do pensamento para o ato, invertendo assim o próprio movimento de formação da obsessão (o ato substituído pelo pensamento).

O *Zwang* como sintoma permite cingir o trabalho de ciframento do inconsciente pelo deslocamento que o caracteriza (tanto a obsessão-sintoma quanto o inconsciente). A "metonímia é justamente o que determina como operação de crédito (*Verschiebung* quer dizer: transporte, transferência, traspasse, depósito) o próprio mecanismo inconsciente em que é no caixa-de-gozo, no entanto, que se aperta o botão".[29] E Lacan acrescenta, no mesmo trecho, em seguida: "Fazer passar o gozo ao inconsciente, isto é, à contabilidade é, com efeito, um deslocamento danado." O deslocamento do significante não se dá portanto sem o ciframento do gozo. Essa operação evoca a própria formação do sintoma obsessivo, na base do qual se encontra o verter do real no simbólico, o depósito de gozo na rede de significantes — o que leva o sujeito à contagem, à numeração dos lances dos dados de gozo. O *Zwang* é a "carta forçada" que nos mostra o pouco de liberdade do jogo de associação livre.

A obsessão como sintoma pode advir em todos os tipos clínicos da neurose — as obsessões histéricas são também cifras de gozo. Mas o pensar é propriamente falando o que define o obsessivo, que é, diz Lacan, "muito essencialmente alguém que pensa. Ele é *pensa* avaramente. Ele é *pensa* em circuito fechado. Ele é *pensa* para ele sozinho".[30] O obsessivo em seu pensamento faz um curto-circuito para anular o Outro do desejo, e o que ele pensa se fecha no circuito pulsional no qual ele mesmo é o objeto. Trata-se do gozo onanista como Freud o pontuara. Enquanto o sujeito histérico é o inconsciente em exercício, o obsessivo é o inconsciente em cogitação; o *Zwang* do inconsciente de um cisalha o corpo e o do outro cisalha a alma.[31] Se o histérico com seu agir faz o Outro pensar, é graças ao obsessivo que sabemos o que pensar quer dizer: ele *dá-a-ver* o modo de funcionamento do próprio inconsciente.

Bem dizer o sintoma

No início de uma análise, o sintoma é um dizer que ainda não encontrou seu dito. A passagem do dizer do sintoma a seu dito é o que constitui propriamente falando o processo analítico, que se alinha na ética do bem dizer. A ética da psicanálise é a ética de bem dizer o sintoma.

Para que o sintoma do sujeito se transforme, no início do processo analítico, num sintoma analítico[32] é preciso que ele seja considerado pelo sujeito como um parceiro de verdade, nos dois sentidos da expressão. Por um lado, ele precisa considerar que o sintoma seja verdadeiro e não falso; por outro lado, é preciso que o sujeito considere seu sintoma dentro de uma parceria com a verdade, isto é, que considere que o sintoma detenha algo de sua verdade. Para que uma análise se inicie é necessário que o sujeito considere seu sintoma estruturado como a verdade, isto é, como um enigma em que algo está velado e que, ao mesmo tempo, desvela algo da verdade. O sintoma é um "velar iluminado", como diz Heidegger em relação à verdade. O sintoma é *alethos*, ele vela e desvela algo que o sujeito considera como uma mensagem endereçada a ele fazendo parte de sua verdade. O sintoma é um semi-dizer porque participa do enigma da verdade, ou seja, mesmo quando decifrado contém algo que continua velado ao sujeito.

Na análise, o sujeito espera uma grande revelação de sua verdade mas, ao decifrar seus sintomas a verdade sobre seu ser não é totalmente desvelada.

O sujeito deverá ir para além da frustração que isso pode acarretar e passar da impotência em dizer toda a sua verdade à sua impossibilidade estrutural. A operação da psicanálise vai do semi-dizer da verdade do sintoma ao bem dizer o sintoma. O que não quer dizer que o sintoma desapareça, pois o sintoma tampouco se diz por inteiro. Se o sintoma no início da análise é um dizer que ainda não encontrou seu dito, ou melhor, um semi-dizer que ainda não encontrou seu dito, no final da análise o sujeito chega a um bem dizer o sintoma, apesar de não totalmente. E o sintoma fica reduzido, digamos assim, a um real bem dito.

O que é um sintoma como um real bem dito? Será que não é um paradoxo falarmos de um real dito, se o real se caracteriza pelo impossível a ser dito? O bem dizer do sintoma é um dizer de verdade que toca o real, é um dizer sobre o núcleo irredutível do real do sintoma. Eis a dimensão ética do sintoma, que a psicanálise inaugura.

Diferentemente da medicina e da psiquiatria, onde se tenta abolir o sintoma a todo custo, a psicanálise não promete a abolição do sintoma, pois este é um signo do sujeito. Bem dizer o sintoma equivoca com abençoar o seu sintoma, que aponta para a conciliação com o sintoma. Trata-se de uma conciliação distinta do compromisso neurótico de recalcar a verdade da castração do sujeito. A verdade, segundo Lacan, nós a recalcamos e com o real habituamo-nos.[33] A conciliação com o sintoma no final da análise implica, por um lado, em não recalcar a verdade do sintoma, e sim bem dizê-la, e, por outro lado, em se habituar ao seu real, reduzido aqui a um caroço ou núcleo irredutível. E qual é o efeito dessa redução? É um efeito sobre o mal-estar que o sintoma provocava. Bem dizer o sintoma é a condição para aquilo que Lacan propôs para se referir à relação do sujeito com seu sintoma no final de análise: *savoir y faire*, saber lidar com o sintoma.[34] O bem dizer do sintoma a que leva uma análise conduzida até seu final é a condição de saber lidar com ele. A partir daí podemos introduzir a questão do estilo.

A passagem do semi-dizer do sintoma ao bem dizer o sintoma, que constitui o próprio processo analítico, implica num efeito na enunciação do sujeito, constatado muitas vezes pelos próximos, que comentam: "tem algo que mudou em você, eu não sei direito o que é, deve ser efeito de análise". Amigos, parentes, colegas notam uma mudança verdadeira na maneira, no jeito de ser, de viver, de falar, de escrever da pessoa. Trata-se de um efeito sobre o estilo que a psicanálise deve considerar e poder justificar. Trata-se de um efeito na enunciação que corresponde a uma mudança operada na economia do gozo.

Essa mudança incide na relação entre significante e gozo, que é uma relação de causalidade. "O significante", diz Lacan, "é a causa do gozo".[35] Ele desdobrou essa causalidade a partir das quatro causas aristotélicas descritas no livro II da *Física*. O exemplo que usa Aristóteles para abordar as quatro causas é o do artista escultor que faz de um bloco de mármore uma estátua.

A causa material é aquilo de que a coisa é feita, ou seja, é a própria matéria, no caso o bloco de mármore. A causa eficiente é o agente, ou seja, o escultor que utiliza seus músculos e um instrumento como a espátula para fazer a estátua, ou seja, ele atua sobre a matéria com seus próprios movimentos, transformando-se num objeto estético. A causa formal é a idéia, o modelo que o escultor tem da estátua. "É a idéia que está na alma do artesão", diz Aristóteles. A causa formal não está no corpo do agente — como está a causa eficiente — mas na idéia do agente. A causa final é aquilo em vista do que toda a operação é realizada. A causa final é chegar-se a um efeito de belo, ou seja, é para atingir o Belo que a estátua foi feita.

A essência aristotélica (*ousia*, a substância) é, segundo Lacan, da ordem do gozo para os seres falantes. Desdobrando o axioma "o significante é a causa do gozo" de acordo com as quatro causas de Aristóteles, segundo a indicação de Lacan, podemos decliná-la da seguinte forma: como *causa material*, o significante é o material para abordar o gozo. Sem o significante não há gozo do corpo. O corpo gozante tem como material o significante. Como *causa eficiente*, o significante é o percurso que canaliza o gozo. É o caminho que o gozo efetua, que Lacan compara com o trajeto da abelha que transporta o pólen da flor-macho para a flor-fêmea. Isso indica que o significante é o escultor das vias de gozo, é ele que traça as ruas, os canais por meio dos quais o corpo goza. Como *causa formal*, é o estreitamento, o aperto ao qual o gozo é submetido. É o "modelo" do gozo que Lacan encontra na gramática. O significante estreita, aperta o gozo na gramática. A causa formal promovida pelo significante produz uma *gramática do gozo*, cuja melhor ilustração encontramos no *verbo*. A *gramatização* do gozo como causa formal não deixa de evocar a gramática pulsional promovida por Freud na *Metapsicologia*. Como *causa final*, o significante é freio do gozo, como "alto lá" ao gozo. A causa final do gozo não é o Belo nem qualquer outro ideal. O significante como causa final é a barreira ao gozo, um limite interno a ele. No entanto, a causa final do significante em relação ao gozo se encontra, nos indica Lacan, na "origem do vocativo do comando". O comando do significante nos remete ao comando do supereu "goza!", desvelando a estrutura do significante, provocando o gozo e dando-nos a estrutura da propriedade de poder própria ao significante, poder de mando e poder hipnótico, já descrito no capítulo II.

O significante como causa de gozo nos mostra que a linguagem traça as vias do gozo, promove seus caminhos, suas ruas e avenidas, seus compartimentos e comportas favorecendo umas, dificultando outras e impossibilitando ainda outras. O significante fabrica os circuitos de gozo para o sujeito. Nesses circuitos situam-se tanto o sintoma como a fala própria ao sujeito, pois ambos são tecidos de linguagem e de gozo. É nisso que a análise opera: nas vias de gozo do significante, nessas vias da economia libidinal promovidas pelos significantes. Existem aí limites intransponíveis: nem todos os compartimentos podem ser abertos; mas alguns sim, ao serem desatados alguns nós de significação do sintoma. E como o sintoma é do mesmo tecido da linguagem, ao se desfazerem os nós de gozo do sintoma algumas comportas se abrem para o dizer, para o bem dizer. A passagem do semi-dizer do sintoma a seu bem dizer se acompanha necessariamente de uma mudança na enunciação, na forma, no jeito de lidar com a linguagem e isto tem incidência no estilo do sujeito: o estilo manifesto na fala, na escrita e, por que não dizer, na vida. Isso é fundamental para a psicanálise, para a transmissão da psicanálise, pois como diz Lacan, um ensino digno de Freud "só se produzirá pela via mediante a qual a verdade mais oculta manifesta-se nas revoluções da cultura. Essa via é a única formação que podemos transmitir àqueles que nos seguem; ela se chama: um estilo".[36] A formação analítica se dá pela via do estilo: transmissão de verdade que toca o real.

Se o estilo é a via da manifestação da verdade, o sintoma é outra, porém em momentos diferentes de uma análise. O sintoma como verdade na análise entra num processo que comporta dois destinos. No final de uma análise o sujeito não acredita no seu sintoma e não lhe dá mais crédito, pois ele foi reduzido a um real irredutível, e o sujeito considera que não tem mais nada de verdade em seu sintoma. Ele não dá mais crédito à promessa de que o sintoma possa lhe revelar algo de sua verdade. E onde foi parar a questão da verdade? Ela se encontra na via do estilo, onde a verdade toca o real através do bem dizer. A enunciação é o modo de dizer de cada um, o modo de manejar os enunciados e as proposições, aquilo que vem a mais no enunciado por onde circula o mais-de-gozar, esse suplemento do enunciado. A verdade enquanto tal, por sua estrutura de semi-dizer, não se encontra toda no dito, participando da enunciação, não estando na proposição. O semi-dizer da verdade do sintoma passa, em uma análise, para os enunciados que o sujeito decifra sobre o próprio sintoma, enunciados verdadeiros que constituem o bem dizer próprio à ética da psicanálise. No sintoma, segundo a concepção de Lacan no final do seu ensino, em 1977, não encontramos propriamente *la verité*, mas *la varité*, não a verdade mas a "varidade", equívoco que Lacan faz entre verdade e variedade.[37] Isso nos indica a passagem do sintoma-verdade à variedade do sintoma de cada um, à singularidade do seu sintoma

Como podemos pensar a questão do estilo a partir do processo analítico? O sintoma-verdade comporta dois destinos: o estilo e o sintoma-signo. O estilo é da ordem da enunciação por onde circula a verdade e o sintoma reduzido a seu real é um signo do real.

sintoma-verdade → verdade (velada) no estilo iluminado (pelo real)
sintoma-verdade → sintoma-signo: vari(e)dade do real

A distinção entre o sintoma e o estilo é fundamental para abordarmos a transmissão da psicanálise e a maneira pela qual o analista opera. Se todo analista passou por uma análise, cada um tem certamente um sintoma, já que o sintoma não acaba para ninguém. "O analista também se identifica com seu sintoma".[38] Será que é com seu sintoma que ele opera como analista? Não. O analista não opera com seu sintoma, ele opera a partir de seu estilo, que é o estilo de cada um, através do qual ele sustenta o desejo do analista, que é o operador lógico de todo processo analítico. Saber lidar com o seu sintoma para o analista ao conduzir uma análise, corresponde a fazer calar o sintoma e operar com o desejo do analista.

O sintoma-signo

Se o sintoma para a psicanálise é um significante, ele não deixa de ser também um signo, ou seja, uma cifra de gozo. O real do sintoma como signo é o fogo da fumaça do sujeito — lá onde há sintoma há sujeito, um sujeito como resposta do real.

O sintoma é definido por Lacan nos anos 50 a partir do simbólico e, nos anos 70, a partir do real, como podemos ler na primeira lição de seu seminário de 1974-75, denominado RSI, onde ele afirma que é do real que se trata no sintoma. No primeiro momento, o sintoma é a expressão da divisão subjetiva, como manifesto no ataque histérico, em que o sujeito é o sedutor e o seduzido, e na dúvida obsessiva, em que o sujeito se vê acuado entre dois significantes. No segundo momento, em RSI, o sintoma é definido como a articulação entre o gozo e o inconsciente. E qual o seu exemplo? Uma mulher — uma mulher pode ser o sintoma para um homem. O sintoma é o que não cessa de se escrever, daí ele ter função de letra, isolado da cadeia significante, salientando menos seu caráter de significante que sua característica de ser escrita. O sintoma-letra é portanto o articulador do inconsciente com o gozo, é aquilo que não cessando de se escrever supre o que não cessa de não se escrever, ou seja, a relação sexual.

Podemos usar esses dois momentos do ensino de Lacan para falar do sintoma de entrada e do sintoma de saída da análise. O sintoma de entrada corresponde ao sintoma em sua dimensão subjetiva, de divisão do sujeito, mensagem a ser decifrada, enigma que embute um sentido a ser buscado. E o sintoma de saída correspondente ao real do sintoma, sintoma-signo, letra que fixa um gozo no inconsciente, letra sem sentido que "tende a atingir o real" diz Lacan.

Em "La troisième"[38], Lacan retoma o tema do real tal como ele se apresenta para a psicanálise, propondo, como pontos de balizamento, três faces do real: 1º) O real é o que retorna sempre ao mesmo lugar; tese presente desde o início de seu ensino e à qual ele acrescenta que esse lugar é o lugar do semblante. 2º) O real é definido a partir da modalidade lógica do impossível, dentro do qual podem ser distinguidos dois impossíveis: o impossível de representar o real, pois não há nenhuma esperança de atingir o real pela representação, e o impossível do universal, na medida em que é impossível universalizar o real, pois o real e o universal se excluem Do real, portanto, só o particular. Desses dois impossíveis resulta um possível: é possível escrever a letra, S_1 sem sentido, que tende a atingir o real particular do sujeito. 3º) A terceira face do real, que dá o título à conferência, é o *sintoma* cujo "sentido", diz Lacan, "não é aquele com o qual o nutrimos para sua proliferação ou extinção; o sentido do sintoma é o real, o real na medida em que se coloca em cruz para impedir que as coisas funcionem, no sentido em que elas dão conta por si mesmas de maneira satisfatória — satisfatória pelo menos para o mestre/senhor".

Detenhamo-nos nessa definição. Lacan inicialmente define o sintoma como um impedimento. Por um lado, impedimento ao andamento satisfatório do sujeito — ele é a sua cruz —, por outro lado, impedimento ao andamento satisfatório do discurso do mestre. O sintoma como singularidade do sujeito em sua vertente de real faz, portanto, objeção ao discurso do mestre. Isto implica dizer que é pela vertente real de seu sintoma que cada sujeito afirma sua particularidade indo de encontro ao discurso dominante ditado pelos imperativos dos mestres modernos, que se distribuem, hoje, no discurso capitalista e no discurso universitário comandado pela ciência.

O real é aquilo que no sintoma resiste à interpretação, ou seja, o que não é do reino do sentido, como o que resta do sintoma após o final da análise depois de ter-se esgotado o campo da interpretação. Trata-se, em suma, do gozo do sintoma. "Defino o sintoma, diz Lacan, pela maneira como cada um goza do inconsciente na medida em que o inconsciente o determina."[39] O sintoma localiza o gozo no inconsciente. Essa definição do sintoma a partir do real do gozo pulsional vai ao encontro do que diz Freud em "inibição, sintoma e angústia". Ele é aquilo que o sujeito tem de mais particular na medida em que faz a conjunção entre o gozo individual e específico do sujeito e as cadeias simbólicas constituídas pelos significantes do Outro, ou melhor, os significantes que lhe couberam de sua alíngua. Daí uma mulher poder ocupar esse lugar para um homem: uma mulher é sintoma de um homem na medida em que, com ela e por meio dela, ele, como sujeito, goza de seu inconsciente. Pois, para que ocupe esse lugar, ela terá sido escolhida tanto pelos seus traços significantes que encontram eco na memória inconsciente quanto pelo fato de que algo dela faz ressoar para ele *das Ding*, condição para que ela possa ser elevada à dignidade de objeto causa de desejo. A mulher-sintoma não exclui que ela seja para esse mesmo homem a mulher-objeto. Mas a mulher-objeto não é necessariamente mulher-sintoma. A mulher-objeto pode ser deixada cair; já da mulher-sintoma, como todo o sintoma, é mais difícil se desvencilhar.

A mulher como sintoma, deriva da concepção do sintoma como parceiro sexual. Trata-se de um parceiro de gozo determinado pelo inconsciente, daí não se tratar de considerar esse sintoma, o sintoma pós-analítico, como algo a ser extirpado, atenuado ou até mesmo curado. Trata-se de um sintoma a ser assumido ou até mesmo adquirido, no sentido de adotado, como diz Lacan do homem que "adquire uma mulher" para lhe dar filhos, por exemplo. O sintoma adquirido ou adotado é aquele contra o qual o sujeito não luta mais para dele se desembaraçar, identificando-se com ele, ou seja, identificando-o como seu, como sua maneira de gozar. É distinto do sintoma como corpo estranho, sintoma parasita que incomoda e que leva o sujeito a buscar um analista para se livrar dele. Lacan chega a indicar que no final da análise há uma identificação com o sintoma, com a ressalva de que se deve tomar distância em relação a ele. Podemos considerar essa "identificação" como uma "adoção".[40]

A análise vai do sintoma-parasita ao sintoma-adotado. O sintoma-parasita, seja ele histérico, fóbico ou obsessivo, é o sintoma-mensagem que contém uma verdade a ser decifrada, memorial histórico dos ditos do Outro escrito em suas cifra de gozo, ou seja, é o sintoma que desaparece numa análise conduzida a seu termo. O sintoma-adotado é o que resta do deciframento mas que não deixa de ser sintomático, na medida em que faz objeção aos ideais e à fantasia, constituindo aquilo com o qual o sujeito vai ter que lidar bem ou mal. Adotar o sintoma, sabendo que ele é parte de seu gozo e de seu inconsciente, é a condição para que o sujeito possa saber lidar com ele e tomar distância dele. É o que Lacan esperava do final de análise em relação ao sintoma.

Mas o analista pode também ser um sintoma. O analista-sintoma é aquele suposto gozar do inconsciente, ou melhor, suposto gozar de um saber sobre o inconsciente do analisante que este espera ver decifrado. O analista para o analisante, sendo um especialista em psicanálise, goza do inconsciente como se diz gozar de boa saúde.

O analista-sintoma é o analista parceiro tanto do gozo quanto do inconsciente. Do lado do inconsciente, o analista-parceiro é sustentado não só pelo significante da transferência ou por seu nome, mas também pela articulação significante que se coloca em funcionamento com sua presença ou mesmo no trajeto para seu consultório. A associação livre começa já nos preparativos para a sessão, pois o analisante põe o sítio do inconsciente na poltrona do analista. Do lado do gozo, o analista-parceiro representa o inominável, o indizível do objeto da fantasia que o real da transferência faz aparecer como Tykhé — *eutíquia* ou *distíquia*. A constituição do sintoma analítico, ou seja, a produção do endereçamento sintomático ao analista escolhido, é contemporânea da constituição do sintoma-analista, ou melhor, do analista-sintoma.

O analista-sintoma é aquele do qual o analisante quer se desvencilhar, daí sua constante infração à regra de ouro da associação livre. Associação livre — que na verdade é impossível seguir, pois é impossível dizer tudo — pode inclusive transformar-se em sintoma. O "não consigo parar de pensar" da queixa do analisante demonstra o bastante que o sujeito goza do inconsciente. Isso faz parte do analista-sintoma. Os próprios analistas tentaram regular esse sintoma, chamado analista, cujo poder conferido pela transferência pode ser ameaçador. A regulação pelo tempo foi a maneira que a IPA encontrou para delimitá-lo e impedir que o analista-sintoma, parceiro de gozo, passe ao ato abusando de seu lugar nessa parceria que implica a realidade sexual, uma vez que o neurótico ama seu sintoma como a si mesmo. A AMP tentou regular, e até mesmo combater, o poder sintomático do analista em sua particularidade com as chamadas "conversações", processos públicos de inspiração stalinista onde foram (e são) operados expurgos regulares de elementos considerados ameaçadores à ordem do mestre.

O desejo do analista se opõe à idiossincrasia sintomática do analista, idiossincrasia conferida por seu sintoma que ele deve silenciar, colocar de lado, para se prestar a ser sintoma para seu analisante. Não é com seu sintoma, ou melhor, com o que restou de seu sintoma, que o analista opera na análise, e sim com o estilo, como vimos. O analista é aquele que pode deixar de lado seu sintoma para se colocar a serviço do desejo de saber, o que é promovido pelo desejo do analista como operador lógico do tratamento do gozo pelo discurso do analista.

$$\frac{a}{S_2} \rightarrow \frac{\$}{S_1}$$

Discurso do Analista

Lacan aponta em RSI a diferença, que já evocamos, entre acreditar no sintoma, *le croire*, e dar crédito ao sintoma, *y croire*. Acreditar no sintoma é como acreditar em Deus: o sujeito acredita nele como garante — garantia ou seguro de vida que ele paga para não lidar com a morte. Da mesma forma, o sujeito paga com o sintoma, ao acreditar nele, para não ter de lidar com sua divisão. Quem acredita em seu sintoma não procura o analista. Mas quem não acredita, e o questiona e ainda se deixa interrogar por ele, pode vir a procurar o analista, mas com a condição de dar crédito ao sintoma, o que ocorre quando o sintoma faz enigma e o sujeito acredita que este possa lhe revelar algo de verdade. O sujeito dá crédito à possibilidade de que o sintoma possa falar.

A análise sustenta o crédito dado ao sintoma promovendo a sua decifração. Esse crédito vai até seu esgotamento, pois a análise, como diz Colette Soler, promove o descrédito do sintoma[41]. Depois que o sujeito deu a volta toda de sua decifração e esgotou seu sentido, aí sim a análise não sustenta mais seu crédito. O que resta do sintoma no final da análise é correspondente ao para-além do sentido e ao final do crédito — é o real do sintoma. Pois ao real não é possível se dar crédito, pois o real é sem sentido.

O descrédito no sintoma-mensagem que a análise promove é contemporâneo da assunção do sintoma-signo, *le symptôme-signe* que, a partir do equívoco que a língua francesa permite, podemos chamar de *le symptôme-cygne*, o *sintoma-cisne*, que é o sintoma como signo do real. Seria uma bela compensação dizer que a análise vai do sintoma-patinho feio ao sintoma-cisne e que o real de feio vira bonito. Mas não é bem assim, pois o sintoma-signo é um cisne desacreditado reduzido a uma cifra de gozo. Que nada mais é senão puro sinal de vida de um ser falante. O sintoma é menos um cisne do que um *tu-you-you*, uma letra de gozo.

O percurso da análise, que vai do sintoma-mensagem ao sintoma-signo, se acompanha do descrédito no sintoma e da redução do gozo do sintoma, experimentado pelo sujeito como alívio. Lacan, em RSI, utiliza o termo *resserrer* para se referir ao trabalho da análise sobre o gozo, que pode ser melhor traduzido por "contrair", mas também por "encurtar", "comprimir" ou até mesmo "restringir" o gozo. Trata-se da redução desse "gozar do inconsciente", equivalente à redução do sintoma, a seu núcleo imutável, o que se acompanha da deflação do crédito, uma vez que só se dá crédito àquilo de que se goza. É por isso que os homens dão crédito às mulheres, mas não totalmente.

Se o crédito dado ao sintoma que ocorre na análise se acompanha da crença no sintoma, o sujeito pode interromper a análise para defender o gozo do sintoma. É o descrédito no sintoma promovido pela análise que permite ao sujeito não se fixar no discurso do mestre, pois não acredita no S_1 de seu sintoma, em sua letra de gozo. Ele a constata mas nela não acredita. Identificar-se com seu sintoma não é necessariamente fazer de seu sintoma o mestre do discurso, a dominação do poder da letra. O descrédito no sintoma é correspondente à possibilidade de circular com seu sintoma nos discursos. Lidar com seu sintoma-signo no discurso histérico implica também necessariamente a contração de gozo do sintoma para que o sujeito utilize a divisão subjetiva como sintoma em forma de semblante. Contração tanto mais necessária no que diz respeito ao discurso do analista, onde não se trata de usar seu sintoma como semblante de agente do discurso, e sim de se fazer de sintoma para o analisante. Isto implica poder deixar seu sintoma-cisne no lago de fora do dispositivo analítico para se prestar ao semblante de objeto causa para o analisante. O analista não opera com seu sintoma. No discurso analítico, saber lidar com seu sintoma é poder não usá-lo, deixando o *tu-you-you* voar no azul de sua vida privada.

Adendo: As novas formas do sintoma na medicina

A ciência pode classificar e nomear os órgãos de um sabiá
Mas não pode medir seus encantos
A ciência não pode calcular quantos cavalos de força
Existem
Nos encantos de um sabiá.
Quem acumula muita informação perde o condão de adivinhar: divinare.
Os sabiás divinam.

"Desejar ser" , M.B.

A medicina hoje aparece mais do que nunca como um produto da conjunção da ciência com o discurso capitalista. A corrida pela descoberta da vacina da Aids, a medicalização crescente não mais apenas da doença, mas principalmente da saúde, a fabricação de novas demandas endereçadas ao médico, a biologização dos ideais estéticos, a *hormonização* de processos antes naturais — tudo isso e muito mais é impulsionado pela mão, não mais tão invisível como queria Adam Smith, que regula um mercado ferozmente competitivo. Essa "mão" dita hoje as linhas de pesquisa científica a serem seguidas, porque é ela quem as financia; essa "mão" escreve os currículos dos médicos-cientistas fazendo-os aparecer como figuras do mestre moderno, quando, de fato, estão a serviço do discurso do capitalista, que constitui, como mostra Lacan em *Televisão*, o discurso dominante de nossa civilização, responsável portanto por seu mal-estar.[1]

"Marx , disse Lacan, foi o primeiro a ter a idéia do que é um sintoma".[2] O sintoma, relativo ao discurso capitalista, é a conhecida jornada de trabalho, onde se revela a *mais-valia*, sintoma que revela um "apetite", uma "cupidez cega", que não há lei que barre, pois, segundo Marx, "parece ser para muitos fabricantes uma tentação grande demais para que possam resistir a ela". Esse gozo do sintoma social aplicado à medicina faz os médicos horrorizados se reunirem em Comitês de Ética e apelarem ao Legislativo para que fabrique leis capazes de refrear "a paixão desordenada do capital".

Um exemplo pitoresco disso é o desenvolvimento do que se chama de "a psicologia do consumidor". Sendo a sociedade de consumo a expressão mais banal do discurso do capitalista, que promove um endividamento progressivo do indivíduo e uma alienação crescente ao Outro do apelo comercial que multiplica objetos imaginários de desejo, nada mais lógico do que se detectar novos sintomas e novos doentes: "os compradores compulsivos". O Dr. Peter Lunt, do Departamento de Psicologia da University College de Londres, estudioso deste novo sintoma, afirma que ele pode ser "a expressão de uma insatisfação como um tipo de experiência quase sexual". Se sua manifestação de gozo não passa desapercebida, nada impedirá que seus portadores sejam enquadrados pela DSM IV como *TOC* (Transtorno Compulsivo Obsessivo) para serem medicados com Aropax ou similares.

Por outro lado, condicionada pelo discurso da ciência, a medicina foraclui de seu âmbito a dimensão do sujeito por lidar com um real que não é o mesmo real da psicanálise. Enquanto para esta o real em jogo é relativo à castração e à falta no Outro, o real para a ciência é tudo aquilo que ainda não foi simbolizado por seu discurso. O projeto da ciência de colonizar todo o real com seus significantes lhe confere um aspecto de loucura ao rejeitar de sua esfera qualquer subjetividade. Não há nada na própria ciência, e podemos dizer, na própria medicina, que possa deter seus avanços. Eis outro aspecto que impele à formação de Comitês de Ética na tentativa de frear ou pelo menos canalizar o projeto científico.

A medicina cosmética e a demanda de complementação

Localizada antes nos salões de beleza, a cosmetologia parece invadir cada vez mais a medicina: não apenas a dermatologia, mas também a endocrinologia e a cirurgia. A medicina, comandada pelos ideais estéticos produzidos pelas empresas do Imaginário, cria, com sua oferta, novas demandas. Elas são feitas para aqueles que pretendem furtar-se ao confronto com a falta reparando alguma falha anatômica de seu corpo. A resposta médica — ao incidir no corpo com implantes, próteses, enchimentos de silicone, inibidores do apetite, estimuladores da libido, hormônios rejuvenescedores, anabolizantes, virilizantes, feminizantes etc. — recusa o aporte da psicanálise, que demonstra que o corpo do humano não se desvincula do sujeito do inconsciente. É no corpo humano que o simbólico *toma corpo*, pois o corpo "ao ser levado a sério é, primeiramente, aquilo que pode trazer a marca para ser colocado em uma seqüência de significantes".[3]

A medicalização da puberdade e da menopausa, por exemplo, insere, por um lado, o sujeito no discurso capitalista, transformando-o num consumidor de drogas e num objeto da indústria do climatério, e, por outro lado, no discurso da ciência, reduzindo-o a um corpo doente a ser tratado. A medicina, com seus medicamentos, cirurgia ou hormônios, não detecta que toda demanda é demanda de complementação de ser do sujeito, que é pura falta-a-ser. Faz crer assim, respondendo às demandas de juventude, de beleza e de correção sexual, que a complementação é possível.

Não se trata para nós de lamentar os malefícios do progresso da medicina, recusando seus benefícios terapêuticos. Seríamos, no mínimo, chamados de ingratos. Trata-se, antes, de seguir a orientação de Lacan, em seu texto "A ciência e a verdade", e de "reintroduzir o Nome-do-Pai na consideração científica".[4] O que isto significa em relação à medicina cosmética? Significa sustentar que o corpo é o lugar privilegiado do princípio da castração para o sujeito que é basteado no simbólico pelo Nome-do-Pai.

O princípio da castração faz objeção ao UM totalizador do Imaginário do corpo que a medicina cosmética coloca em oferta no mercado do desejo. Introduzir o Nome-do-Pai significa opor um NÃO aos imperativos da moda estética. A moda é comparada por Lacan ao leito de Procusto, personagem da mitologia grega que, instalado no meio de uma estrada, submetia os viajantes ao seguinte suplício: fazia os pequenos se deitarem em um leito grande e os grandes em um leito pequeno. Os pequenos eram estirados até ficarem do tamanho do leito e os grandes tinham suas pernas cortadas para caberem nesse leito. Eis a função da moda para Lacan. A medicina cosmética é, na verdade, uma clínica feita no leito de Procusto.

O próprio sujeito do inconsciente, como sujeito de desejo, denuncia o faz-de-conta desse simulacro cosmético da medicina. Foi publicada uma reportagem no jornal *O Globo* (5.4.1997) sobre os *Drag kings*, mulheres virilizadas artificialmente através de hormônios que levam o semblante de bancar o homem às máximas conseqüências. Entre esses novos senhores, um caso bastante freqüente chama a atenção. Trata-se de mulheres que se transformam em homens para terem um relacionamento com homens, suas relações adquirindo assim seu traço "homossexual". Os *Drag kings* são, portanto, fruto da transformação da histeria pela ciência médica a serviço dos semblantes: fingem com a plástica ter um pedaço de salmão quando na verdade continuam sendo o salmão por baixo do plástico. Utilizando o recurso da ciência médica, a histérica continua denunciando a impostura do mestre, como sempre foi sua função social. Sendo a histeria o próprio inconsciente em exercício, sua manifestação sempre aponta para uma falha no saber médico.

A genética e a foraclusão do desejo

"Muitos cientistas acreditam que a terapia genética seja o quarto estágio da medicina, depois da descoberta dos microorganismos patogênicos, da anestesia e da introdução das vacinas e dos antibióticos."[5]

O termo "clonagem" — derivado do grego *klón,* que significa broto — é uma forma de reprodução assexuada, cuja *première* feita a partir de embriões de mamíferos foi estrelada pela ovelha escocesa Dolly. Órfã de pai e mãe, brotada como cópia fiel, Dolly fez estremecer o Imaginário do planeta. E a realização do sonho ou pesadelo de fabricação *in vitro* do homem ainda ficou mais próxima com a lembrança de que, já em 1993, os cientistas norte-americanos da Universidade George Washington tinham feito a clonagem de embriões humanos, interrompida quando os clones ainda tinham poucas células.

Dolly trouxe à cena pública o ideal da eternização de ídolos populares cujos clones se perpetuariam e se reproduziriam a ponto — por que não? — de se chegar a comprar um clone de uma Catherine Deneuve aos 20 anos. Ao se pensar em quem seria não mais colunável, mas clonável, não se viu nas pesquisas de opinião a proposta de se clonar pessoas anônimas, anódinas ou anômalas. E sim pessoas famosas, belas e inteligentes. Não se evocou a clonagem de um deficiente físico ou de um limítrofe, mas só daqueles que podem representar nossa bela raça humana. O que não está longe do ideal eugênico. A "clonagem humana", como diz Umberto Eco, "nada mais seria do que tentar novamente aquilo que os nazistas já tentaram: produzir através de hábeis cruzamentos somente indivíduos altos, louros, saudáveis e fortes, para obter um exército de super-homens".[6] A discussão sobre a clonagem confirma a previsão de Lacan relativa à incidência social da medicina, "que não poderá evitar", diz ele, "nem o eugenismo nem a segregação política da anomalia".[7]

Por outro lado, a clonagem atiça a fantasia da reprodução de cópias idênticas, geminadas, trazendo a possibilidade de o indivíduo vir a encontrar um si mesmo no outro — o que Lacan há setenta anos já mostrara ser a base da constituição do eu no estádio do espelho. Hoje, o estádio da clonagem é uma reatualização da miragem do eu que se projeta das almas gêmeas aos corpos clonados. "Nas elucubrações fantásticas sobre a clonagem", como diz ainda Umberto Eco, "há uma forma de determinismo materialista ingênua, segundo a qual o destino de uma pessoa é definido unicamente por seu patrimônio genético."

Introduzir aqui o Nome-do-Pai é reafirmar o materialismo dos significantes que determinam o sujeito atrelando-o ao desejo do Outro. O clone humano é uma ficção científica que foraclui a dialética do desejo, degradando o Nome-do-Pai ao reduzi-lo a um patrimônio de DNA.

Através da transgenética — transferência de material genético — é possível se criar seres mistos, como um animal transgênico que é produzido a partir de um embrião em cuja carga genética foi incorporada uma seqüência de DNA de outra célula. Pode ser assim feito um porco com algum órgão humano que sirva mais tarde para transplante. Assim, teremos bancos de órgãos vivos. Se isso é possível, a ciência já tem condição de criar efetivamente animais que até então só povoaram nosso Imaginário. Em quanto tempo veremos Pégasos e Unicórnios, Sereias e Centauros na Disneylândia da ciência? Ou um museu de horrores, onde o lugar de honra seria ocupado por aquele rato com orelha humana cuja foto escandalizou a todos há não muito tempo. Enquanto isto não aparece, podemos dizer com Lacan que a "questão é saber se, devido à ignorância de como esse corpo é sustentado pelo sujeito da ciência, vai-se chegar no Direito a se desmembrar esse corpo em função de troca". Questão que nos é colocada efetivamente aqui no Brasil pela lei de doação compulsória de órgãos *post mortem* e sobre o mercado pirata de órgãos em vida. "Tudo tem um limite! Tráfego de órgãos, não!" — diz a personagem, que impede o pior, no filme *Central do Brasil.* Com a psicanálise aprendemos que o órgão é significantizado, pois o corpo enquanto tal é tomado pelo corpo simbólico, não sendo portanto objeto de troca a ser mercantilizado ou posto à disposição do Outro social. O transplante de um órgão não equivale à troca de uma bobina, pois implica um grande trabalho subjetivo e uma reordenação da imagem corporal.

Reprodução assistida e o Eros feminino

O banco de esperma, a inseminação artificial e a fecundação *in vitro*, a barriga de aluguel e o congelamento de embriões que podem permanecer vivos durante 50 anos — tudo isso é hoje uma realidade que a ciência põe à disposição do consumidor. Entre o desejo sexual e a reprodução humana há algo que se chama vagamente de vida, que Freud nomeou como Eros, deus do desejo para os gregos, pulsão de vida para os modernos. É propriamente o Eros feminino que faz na subjetividade essa ligação, pois ele vai do *Penisneid*, da inveja/desejo de pênis, ao desejo de filho. Nada é evidente no percurso que vai do desejo de filho à sua realização, como nos mostram os percalços desse desejo em análises de mulheres. É nesse hiato que se interpõem as ciências da vida, da biologia à medicina, para responder ao enigma da insatisfação do desejo feminino.

A resposta é baseada na desvinculação da reprodução do ato sexual. Se os métodos contraceptivos cortam esse vínculo para fazer valer o sexual, liberando Eros da reprodução, por outro lado a ciência, a partir de seu método conceptivo, promove a fecundação com a exclusão de Eros. A distinção entre o Nome-do-Pai e o pai imaginário que introduz a psicanálise mostra que o desejo feminino não é separável da lei simbólica e que não se pode prejulgar a concepção sem pai ou a produção independente, pois não há mulher igual a outra.

O *stress business* e a angústia de castração

Ao lado da depressão, há outra doença que vem sendo considerada pela mídia como a doença da atualidade. "Na base da competição sem lei, ameaças de desemprego e lucro a todo custo, a selvageria do sistema econômico fez do estresse a doença deste fim de século."[8]

E, para novas formas do sintoma, novas tecnologias são inventadas e avalizadas pelo mestre moderno da medicina, que com seus diplomas e títulos garante a "seriedade" do negócio. Mas hoje em dia, o Mestre médico não tem pudor de se manifestar como agente do discurso capitalista. "Todo sofrimento cria um mercado" — diz o neurologista dono das academias de ginástica Fisilabor e do Wellness Center. E o dono da clínica Med-Rio Stress acrescenta: "Investi R$ 1 milhão e espero ter retorno em três anos."

Apoiado nos progressos da neurologia, faz-se, no Wellness Center, o cliente passar os primeiros 20 minutos numa poltrona japonesa que massageia a coluna enquanto ouve música suave e vê imagens da natureza. A meia hora seguinte, ainda com música, ele recebe de olhos fechados os lampejos produzidos por óculos elétricos cuja freqüência das luzes fazem o cérebro relaxar, como nos explica o doutor. Mas ainda há uma outra opção para os mais estressados: uma cápsula de isolamento sensorial apelidada de "Kinder Ovo gigante."

O médico Eric Albert, fundador do Instituto Francês da Ansiedade e do Estresse, denuncia o trabalho como a maior causa do estresse, revelando que mais de 50% de seus clientes são assalariados.[9] Efetivamente, como disse P. Naveau, "é no corpo do trabalhador que Marx, há muito, já havia lido o gozo do mestre para detectar o sintoma social como uma manifestação de um estudo patológico do funcionamento do corpo social".[10] Se antes a medicina do trabalho podia ser considerada uma aliada do trabalhador para barrar o gozo do Mestre, hoje a medicina do estresse parece estar a serviço do capitalista, ao tratar o rebotalho do seu discurso com máquinas de reciclagem para que voltem à ativa, mas sem excessos. Daí o tratamento deste novo doente: o *workaholic*.

O saber sobre o gozo, que a psicanálise com sua contribuição traz para a comunidade científica, se contrapõe à concepcão higiênica descrita pelo Dr. Eric Albert, que declarou: "Do ponto de vista fisiológico é claro que o sexo acalma por causa da circulação de substâncias endógenas que o ato sexual provoca." Reintroduzir aqui o Nome-do-Pai é reafirmar que o sexo caminha pelas suas impossibilidades e, que o corpo não é só feito para gozar. Ele está preso ao registro simbólico das palavras e alienado à imagem do semelhante. O gozo próprio ao corpo se situa fora dele, em um objeto pulsional que toma corpo episodicamente em qualquer objeto do mundo empírico. A angústia, como excesso de gozo que retorna sobre o sujeito, denota a presença desse objeto que o remete à sua própria castração. E para esta não há remédio, só desejo. Não é possível medicalizar a angústia, que é, segundo Freud, sempre angústia de castração. E não é receitando sexo que ela vai desaparecer. Se a receita vira imperativo, a angústia aumenta.

O parâmetro mais importante para os adeptos da medicina do estresse é, de acordo ainda com Dr. Albert, a *auto-estima*, significante-choque de outro subproduto dessa medicina-psicanalítica: a neurolingüística. Esta, que confessa tomar por base a imagem da informática como paradigma do humano, considera, segundo Lair Ribeiro, que tudo o que somos e que acreditamos está codificado, programado, formatado no cérebro de cada um. O computador é o modelo para a lógica do pensamento. Mas essa banalização faz do homem uma máquina neuronal de onde o desejo e o inconsciente estão excluídos. E tudo é canalizado para a auto-sugestão, a auto-imagem, a auto-estima, mostrando que essa "neurolingüística" é nada mais nada menos do que um subproduto, um refugo da cultura do narcisismo que promove a inflação do imaginário.

A psicanálise recebe os rebotalhos do discurso da ciência lá onde desponta o sintoma-verdade na falha do saber médico. É o que sempre acontece quando a medicina reduz a um organismo o sujeito — este se manifestará então no sintoma mostrando o furo no saber. A psicanálise poderá ser a saída dos impasses da medicina acossada entre o discurso da ciência (cuja estrutura é, para Lacan, quase idêntica ao discurso da histérica) e o discurso do capitalista, modalidade moderna do discurso do mestre. A medicina é o sintoma dessa conjunção. Do lado da ciência, a medicina-histérica faz de seus médicos impotentes produtores de um saber que lhes escapa. Do lado do capitalismo, a medicina-mestre impõe seus enxames de significantes-mestres e fabrica objetos de gozo para engordar o futuro de uma ilusão que se espatifará quando do próximo encontro com o real. Os rebotalhos do discurso médico constituem para o analista novas formas do sintoma, que, ao serem observadas de perto, são tão velhas quanto as roupas do rei quando ele está nu.

Notas

Preâmbulo – Desejo logo ex-sisto

1. Descartes. "Méditation seconde", in *Oeuvres complètes*. Paris: Pléiade, p.277.
2. Ibid., p.297.
3. J. Lacan. *O Seminário*, livro 11, *Os quatro conceitos fundamentais da psicanálise*. Rio de Janeiro: Zahar, 1979, p.39.
4. J. Lacan. *Escritos*. Rio de Janeiro: Zahar, 1998, p.260.
5. S. Freud. *A interpretação dos sonhos*. Rio de Janeiro: Imago, 1972 (ESB, vol.IV), p.354.

I. Retornando a Freud com Lacan

1. Antes, é preciso fazer a observação de que as obras de Freud foram publicadas no Brasil, pela Imago Editora, a partir da Standard Edition inglesa, já traduzida do alemão. Como se vê, é uma tradução da tradução. A versão inglesa utiliza muitos termos em latim, bastante contestados depois, porque os conceitos propostos por Freud são formados por palavras comuns do alemão. Assim, "Pulsão", palavra mais ou menos banal da língua alemã, transforma-se em "instinto" na edição brasileira.

2. Outra tradução improcedente é a tradução de *Verdrängung*, que deveria ter sido traduzido por "recalque" e não por "repressão", palavra que tem o sentido de algo que vem de fora, por exemplo a repressão policial. O recalque é um mecanismo interno descrito por Freud como inerente ao sujeito. Chamado inicialmente de "censura", ele faz com que determinadas cenas, lembranças e desejos articulados a determinadas representações não apareçam no consciente. Foi a confusão entre recalque e repressão, expressamente utilizada e teorizada por Reich, que gerou todo o movimento freudo-marxista e seus equívocos entre a lei social e o recalque, provocando um dos grandes desvios da psicanálise (do reichismo à bioenergética).

3. Para empregar um termo usado por Lacan, o psicótico *foraclui*, fazendo como se nunca tivesse existido. "Foraclusão" é a versão brasileira de um termo utilizado por Lacan (*forclusion*), que vem do âmbito jurídico, significando que quando termina o prazo de recurso de um processo, este é prescrito ou, usando outro termo do âmbito jurídico, ele é precluído. Esse mecanismo que chamamos de "foraclusão" é algo que, por não ter funcionado em seu prazo de validade, não tem mais validade alguma. E é isso que o psicótico faz no âmbito da diferença dos sexos e da castração. Cf. meu *Teoria e clínica da psicose*. Rio de Janeiro: Forense Universitária.

4. F. de Saussure. "A natureza do signo lingüístico", in *Curso de lingüística geral*. São Paulo: Cultrix, 1976, p.130, 7ª ed.

II. A estrutura significante e a pulsão

1. Cf. J. Lacan. "A instância da letra no inconsciente ou A razão desde Freud" (1957), in *Escritos*, op.cit., e *Seminário da identificação* (1961-2), inédito.

2. Em "O seminário sobre A carta roubada" e seus anexos (in *Escritos*), Lacan coloca num grafo o resultado de um jogo de par ou ímpar feito ao acaso, mostrando que esse grafo é orientado com vias possíveis e outras impossíveis. Nesse seminário, ele trata das vias de gozo promovidas pelo significante, sobre as quais falaremos no capítulo "As vertentes do sintoma".

3. J.L. Austin. *Quand dire, c'est faire*. Paris: Seuil, 1970.

4. O que melhor pode ilustrar esse matema é o umbigo do sonho. Cf. capítulo seguinte.

5. J. Lacan. "Radiophonie", *Scilicet*, 2/3. Paris: Seuil, 1970, p.72.

6. J. Lacan. *Escritos*, op.cit., p.234.

7. *Mal* (mal) e *mâle* (macho) são o mesmo significante, cujo significado varia conforme sua oposição seja em relação ao significante *bien* (bem ou ao *femelle* (fêmea), além da grafia, obviamente.

III. O Wunsch *do sonho*

1. Frase traduzida classicamente por "O sonho é uma realização de desejo". Entretanto, segundo o contexto, como veremos, ela admite outras traduções e interpretações.

2. Prefácio à terceira edição inglesa (1931) de *A interpretação dos sonhos*.

3. ESB, vol.V, p.619.

4. ESB, vol.I, p.339.

5. Cf. J. Lacan. *O Seminário*, livro 7, *A ética da psicanálise*. Rio de Janeiro: Zahar, 1988, p.64 e segs.

6. ESB, vol.I, p.450.

7. J. Lacan. *O Seminário*, livro 7, op.cit., p.68.

8. ESB, vol.I, p.460.

9. Texto que fazia parte de sua correspondência pessoal com Fliess e publicada postumamente. Esse caráter epistolar e privado talvez tenha sido o que permitiu a Freud evocar aí que o verdadeiro desejo que motivou o sonho de Irma foi um desejo sexual — o que será generalizado para todos os sonhos e constituirá, ao longo de *A interpretação dos sonhos*, uma das teses principais.

10. J. Lacan. "Ouverture de la Section Clinique" (1976), *Ornicar?*, 9. Paris, 1997.

11. Cf. o livro de François Regnault, *Dieu est inconscient*, onde ele desenvolve essa fórmula de Lacan, que se encontra no *Seminário*, livro 11, *Os quatro conceitos fundamentais da psicanálise*, op.cit., p.60.

12. ESB, vol.IV, p.139.

13. Ibid., p.142.

14. Ibid., p.106.

15. J. Lacan. "Conférence à Genève sur le symptôme" (4.10.1975), *Le Bloc-Notes de la Psychanalyse*, 5. Paris, 1985, p.12.

16. ESB, vol.IV, p.144.

17. Quando se dorme, afinal, quem dorme? Não é o sujeito, pois enquanto sujeito de desejo ele aí está em função. O eu, enquanto função da consciência, é quem dorme e, quando desperta, tende a adormecer o sujeito desejante.

18. Ibid., p.134.
19. Cf. A. Quinet. *Extravios do desejo: depressão e melancolia*. Rio de Janeiro: Contra Capa, 1999.
20. ESB, vol.IV, p.249.
21. Carta a Fliess nº 108 de 9.6.1899, in *La naissance de la psychanalyse*. Paris: PUF, 1974, p.251.
22. ESB, vol.V, p.589.
23. Ibid., p.597.
24. Ibid., p.614.
25. ESB, vol.IV, p.233.
26. ESB, vol.V, p.589.
27. Ibid., p.619.
28. Ibid., p.639.
29. "Em conseqüência do aparecimento atrasado dos processos secundários, o âmago de nosso ser, que consiste em impulsos inconscientes impregnados de desejo, permanece inacessível à compreensão e à inibição do pré-consciente" (ESB, vol.V, p.642).
30. Ibid., p.616.
31. Ibid., p.589.
32. Ibid., p.652.
33. ESB, vol.IV, p.332.
34. ESB, vol.V, p.362.
35. ESB, vol.IV, p.324.
36. Ibid., p.328.
37. ESB, vol.V, p.600-1.
38. Ibid., p.611.
39. As representações-meta não estão aqui traduzidas como tal, mas como "idéias intencionais".
40. Embora saibamos que não há significante algum que possa nomear o desejo enquanto tal.
41. J. Lacan. *Escritos*, op.cit., p.629.
42. ESB, vol.V, p.633.
43. S. Freud. *Traumdeutung*. Hamburgo: Fischer, 1983.
44. ESB, vol.V, p.603.
45. Ibid., p.636.
46. Ibid., p.637.
47. Cf. A. Quinet. *Um olhar a mais*. Rio de Janeiro: Zahar, 2002.
48. ESB, vol.V, p.598.
49. J. Lacan. *Escritos*, op.cit., p.632.
50. ESB, vol.IV, p.341.
51. ESB, vol.V, p.461.
52. Ibid., p.620.

IV. Demanda e desejo

1. A demanda nos matemas de Lacan é notada em maiúscula (D) e o desejo em minúscula (d).

2. O termo "demanda", em francês, está muito mais presente na fala corrente, pois significa tanto "pedir" quanto "perguntar". Temos o "privilégio", em nossa língua, de esse termo não ser tão usual, o que nos permite mais facilmente elevá-lo à condição de conceito. Na tradução brasileira do *Seminário 11*, de Lacan, *demande* foi traduzido, senão sempre, pelo menos algumas vezes por "pedido". Nos *Escritos*, foi preferido o termo "demanda".

3. J. Lacan. *Escritos*, op.cit., p.697.

4. Ibid., p.828.

5. Ibid., p.629.

6. Ibid., p.620.

7. G.W.F. Hegel. *Fenomenologia del espíritu*. México: Fondo de Cultura Económica, 1966, p.113.

8. "É somente quando ele se formula, se nomeia diante do outro, que o desejo, seja ele qual for, é reconhecido no sentido pleno do termo. Não se trata de satisfação do desejo ... mas, exatamente, do reconhecimento do desejo". In J. Lacan. *O Seminário*, livro 1, *Os escritos técnicos de Freud*. Rio de Janeiro: Zahar, 1979, p.212-3.

9. J. Lacan, *Escritos*, op.cit., p.529.

10. ESB, vol.XII, p.214.

11. Cf. A. Quinet. "Capital e libido", in *As 4 + 1 condições de análise*. Rio de Janeiro: Zahar, 1991.

12. Cf. J. Lacan. *Seminário da identificação*, lição XIII, inédito.

13. No dispositivo do passe, o analisante (o passante) relata ele mesmo como se deu essa passagem a dois "passadores", os quais relatarão, cada um por sua vez, o que escutarem para um grupo pequeno de analistas (que fazem função de júri). E isso retorna ao analisante sob forma de nomeação de AE (Analista da Escola), em caso de verificação do desejo do analista; no caso negativo, o júri pode se encontrar com o passante para dar suas razões da não nomeação.

14. Em "Discurso à Escola Freudiana de Paris", texto que passaremos a comentar, Lacan nos dá algumas indicações fundamentais sobre o desejo do analista. Ele foi pronunciado dois meses após a "Proposição". In *Scilicet*, 2/3. Paris, Seuil, 1987.

15. J. Lacan. *Escritos*, op.cit., p.794.

16. J. Lacan. "Proposição de 9 de outubro de 1967 sobre o Analista da Escola", *Documentos para uma Escola* (circulação interna). Rio de Janeiro: Letra Freudiana, 1987, p.37.

17. J. Lacan. *O Seminário*, livro 11, op.cit., p.260.

18. Ibid., p.258.

19. Ibid., p.260.

20. J. Lacan. "Note italienne", *Archives de Psychanalyse*. Paris: Eolia, 1991.

V. As vertentes do sintoma

1. J. Lacan. *Escritos*, op.cit., p.70.

2. Se tudo é estrutura, para a psicanálise, nem tudo é linguagem, pois no silêncio do simbólico, constituído por significantes, reina a pulsão de morte, que é irrepresentável. O conceito de gozo em Lacan corresponde ao para-além da função da fala e do campo da linguagem. Esse gozo é representado na fantasia pelo objeto *a*, que é parte da estrutura psíquica (apesar de não ser um elemento da estrutura significante).

3. M. Foucault. *O nascimento da clínica.* Rio de Janeiro: Forense Universitária, 1977, p.101-2.

4. Termo inventado por Lacan a partir da palavra grega *Alétheia* (verdade) para designar os objetos produzidos pela ciência como verdadeiros (*O Seminário,* livro 17, *O avesso da psicanálise.* Rio de Janeiro: Zahar, 1992).

5. M. Heidegger. "Alétheia", in *Essais et conférences.* Paris: Gallimard, 1958, p.313.

6. J. Lacan. *Escritos,* op.cit., p.282.

7. M. Heidegger. "Sobre a essência da verdade", in *Conferências e escritos filosóficos.* São Paulo: Abril Cultural, col. Os Pensadores, 1983, p.131-45.

8. J. Lacan. *O Seminário,* livro 17, op.cit., p.68.

9. M. Heidegger. "Alétheia", op.cit., p.328.

10. M. Heidegger. "Logos", in *Essais et conférences.* Paris: Gallimard, 1958, p.267.

11. J. Lacan. *Escritos,* op.cit., p.167.

12. Ibid., p.410.

13. Ibid., p.367.

14. Ibid., p.28.

15. Ibid., p.367.

16. Ibid., p.892.

17. Ibid., p.470.

18. "Afirmo que o sintoma pode ser o parceiro sexual ..., ou seja, o sintoma nesse sentido é o que se conhece, e até mesmo o que melhor se conhece", in Seminário "L'insu que sait de l'une bévue s'aile à mourre" lição de 18.11.1976, *Ornicar?,* 12/13, p.6.

19. Cf. J. Lacan. "Introdução à edição alemã de um primeiro volume dos *Escritos* (Walter Verlag)", *Falo,* nº 2. Salvador: Fator, 1988, p.7.

20. ESB, vol.XVIII, p.33.

21. ESB, vol.I, p.307.

22. "O complexo de Édipo é como tal um sintoma, in Seminário "Joyce le sinthome", lição de 18.11.1975, *Ornicar?,* nº 6, p.9; e "Defino o sintoma pela maneira como cada um goza do inconsciente na medida em que o inconsciente o determina", in Seminário "RSI", lição de 18.2.1975, *Ornicar?,* nº 4, p.106.

23. ESB, vol.X, p.246.

24. ESB, vol.XX, p.138.

25. Cf. o relatório de S. Cottet, G. Clastres et. al., "Demande, désir, jouissance dans la névrose obsessionnelle", in *Hystérie et obsession.* Paris: Fondation du Champ Freudien, 1986.

26. J. Lacan. *O Seminário,* livro11, op.cit., p.57.

27. J. Lacan. *Escritos,* op.cit., p.33.

28. J. Lacan. "... Ou pire", *Scilicet,* 5. Paris, Seuil, 1975, p.10.

29. J. Lacan. "Radiophonie", *Scilicet,* 2/3. Paris: Seuil, 1970, p.71-2.

30. J. Lacan. "Conférence à Génève sur le symptôme", *Le Bloc-Notes de la Psychanalyse,* 5, 1985.

31. J. Lacan. *Televisão.* Rio de Janeiro, Zahar, 1993, p.19.

32. Cf. A. Quinet. "A função das entrevistas preliminares", in *As 4 + 1 condições de análise,* op.cit.

33. J. Lacan. *Escritos,* op.cit., p.525.

34. J. Lacan. "L'insu que sait de l'une bévue s'aile à mourre", *Ornicar?,* 17, lição de 18.11.1976, inédito.

35. J. Lacan. *O Seminário,* livro 20, *Mais, ainda.* Rio de Janeiro, Zahar, 1982, p.36.

36. J. Lacan. *Escritos*, op.cit., p.460.
37. J. Lacan. "L'insu que sait de l'une bévue s'aile à mourre", *Ornicar?*, 17, lição de 19.4.1977, p.14.
38. J. Lacan. "Ouverture de la Section Clinique", *Ornicar?*, 9. Paris, 1977, p.13.
39. J. Lacan. "RSI", *Ornicar?*, 4, lição de 18.2.1979, p.106.
40. J. Lacan. "L'insu de l'une bévue s'aile à mourre", *Ornicar?*, 12-13, lição de 18.11.1976, p.6.
41. C. Soler. *Síntomas*. Bogotá: Associación del Campo Freudiano de Colombia, 1998.

Adendo ao cap.V: As novas formas do sintoma na medicina

1. J. Lacan. *Televisão*, op.cit., p.29-30.
2. J. Lacan. "Conférences et entretiens dans les universités nord-américaines — Yale University, Étourdit", *Scilicet*, 6/7. Paris, Seuil, 1976, p.34.
3. J. Lacan. "Radiophonie", *Scilicet*, 2/3. Paris, Seuil, 1970, p.61.
4. J. Lacan. *Escritos*, op.cit., p.889.
5. *Folha de S. Paulo*, Mais, 13.4.1997.
6. *Vip-Exame*, abr 1997.
7. J. Lacan. *Escritos*, op.cit., p.868.
8. *Jornal do Brasil*, Revista de Domingo, 30.3.1997.
9. *Jornal do Brasil*, 16.3.1997.
10. P. Naveau. "Marx e o sintoma", *Falo*, 3. Salvador: Fator, 1986, p.119.

1ª EDIÇÃO [2000] 9 reimpressões

ESTA OBRA FOI COMPOSTA POR TOPTEXTOS EDIÇÕES GRÁFICAS
EM ADOBE GARAMOND E LIBRE E IMPRESSA EM OFSETE PELA
GRÁFICA BARTIRA SOBRE PAPEL ALTA ALVURA DA SUZANO S.A.
PARA A EDITORA SCHWARCZ EM NOVEMBRO DE 2020

A marca FSC® é a garantia de que a madeira utilizada na fabricação do papel deste livro provém de florestas que foram gerenciadas de maneira ambientalmente correta, socialmente justa e economicamente viável, além de outras fontes de origem controlada.